실패 없는 토지 분석

가치있는 토지는 개발 가능한 토지!
전문가가 알려주는 실전 노하우 대공개!

현업 토목설계사와 공인중개사가 작정하고 만든
실패없는 토지분석

발 행 | 2024년 01월 05일
저 자 | 홍정표, 김왕규
펴낸이 | 한건희
펴낸곳 | 주식회사 부크크
출판사등록 | 2014.07.15.(제2014-16호)
주 소 | 서울특별시 금천구 가산디지털1로 119 SK트윈타워 A동 305호
전 화 | 1670-8316
이메일 | info@bookk.co.kr

ISBN | 979-11-410-6490-7

현업 토목설계사와 공인중개사가 작정하고 만든

실패없는 토지분석

토목설계 고마측량, 공주토지공인중개사 지음

차 례

Part 2. 토지분석의 시작은 용어 확인부터
       <토지의 자기소개서! 토지이용계획을 분석하는 법>

Part 3. 건축할 수 없다면 맹지!
　　　　<맹지 사서 탈출할 생각 절대금지>

Part 4. 토지 유형 별 검토사항
<당신이 생각하는 토지를 찾기 위한 꿀 Tip 대방출!>

Part 5. 토지 활용 및 인허가 정보
<전문가가 알려주는 내 땅 사용설명서>

누구나 토지분석 할 수 있기를 꿈꾸며(머리말)

이 책은 맹목적으로 토지투자를 권하는 책과는 방향이 다르다. 좋은 입지에 위치하는 토지, 가치 있는 토지를 사면 가격이 오르는 것은 어찌 보면 당연하다. 좋은 입지는 각종 매체와 시장정보를 통해 발전 가능성을 내다보며 어느 정도 판단할 수 있겠지만, 좋은 토지는 과연 어떤 토지일까?

아무리 입지가 좋은 토지라도 건축을 할 수 없거나 원하는 대로 사용하지 못한다면 이는 투자가 아니라 투기에 가까운 일이다. 이 책은 투자가 투기가 되지 않도록 좋은 **토지의 본질을 볼 수 있는 안목**을 기르는 방법에 대해 중점을 두고 집필하였다.

토지개발을 할 수 있도록 **인허가 설계를 전문으로 하는 토목설계 대표**와 **토지를 전문으로 하는 공인중개사**가 고객들과 수없이 많은 상담을 하며, 고객들이 궁금해하는 내용을 엄선하여 누구나 쉽게 이해할 수 있도록 정성껏 집필하였다. 토지에 관심이 있는 분들께 이 책이 토지분석의 길잡이가 될 수 있기를 바란다. 책장 한구석에 처박혀 있는 책이 아닌 곁에 두고 자주 볼 수 있는 책이 되었으면 한다.

토지의 분석을 하지 못하면 결국 원하는 목적으로 토지를 사용할 수 없는 경우가 발생한다. 이 책을 통해 토지를 분석하는 기본기를 갖추고 투자한다면 실패할 일은 없을 것이다. 토지투자에 계획이 있거나 잘못된 토지투자로 피해를 본 사람들이 있다면 이 책을 꼭 권해주고 싶다.

토목설계 고마측량 대표 홍정표, **공주토지부동산** 대표 김왕규

현업 토목설계사와 공인중개사가 작정하고 만든
실패없는 토지분석

실패없는 토지분석과

성공적인 토지투자를 바라며..

토지분석

첫걸음의 시작

토지에는 숨겨진 문제들이 있다

〈겉으로만 보는 토지. 속까지 알아야 문제 없다〉

1. 기본을 알아야 토지구매 시 피해가 없다.

< 토지 구매부터 하면 10년은 늙는다 >

사람들은 "내 땅"을 사는 것에 관심이 많다. 화폐 가치는 물가 상승, 환율 변동 등 다양한 요인에 따라 변동성이 매우 크다. 토지에 투자하는 것은 곧 금에 투자하는 이유, 명품 가방으로 재테크를 하는 이유와 비슷할 것이다.

현명한 투자를 하려면 주식에 대해 공부하는 것과 마찬가지로 토지를 매매하려면 토지에 대해 먼저 깊이 알아야 한다. 토지를 매매하는 것은 보통 두 가지 이유일 것이다.

첫째, 내 집 마련을 위한 토지. 내가 편안하게 살기 위한 내 집을 지을 땅을 매매하는 것이다.

둘째, 투자를 위한 토지. 주변의 호재를 장기적으로 보고 개발 가능할 것이라는 기대와 함께 토지를 매매한다. 가령 땅 주변에 도로가 생긴다거나, 대규모 도시개발이 된다면 내가 산 땅의 가치가 껑충 오를 것이다.

누구나 내 땅의 가치가 오르길 꿈꾼다. 하지만 시대가 발전되면서 많은 개발로 인해 무분별한 난개발이 이루어지고 있어 개발행위의 규정이 존재한다.

따라서 내 땅에 내 집을 짓기 위해 혹은 땅을 사서 투자하기 위해서는 규정을 꼭 알아야 한다. 사람들은 개발행위를 할 때 규정이 있는 줄 모르고 토지구매를 먼저 하는 경우가 많다.

현업 토목설계사가 작정하고 만든
실패없는 토지분석

일단 토지부터 매매하면 과연 어떤 문제가 발생할까? 결론부터 말하면 내가 매매한 토지가 맹지이거나 원하는 목적의 개발행위를 할 수 없는 상황이 발생할 수 있다. 이러한 문제를 예방하려면 스스로 기본적인 토지분석을 할 수 있는 안목을 기르고 주변에 토지와 관련 있는 공인중개사나 관련 업계 관계자에게 조언을 구하는 방법이 있다.

그러나 개발행위의 규정이 방대하고 수시로 바뀌는 경우가 있으며 상황에 따라 변수가 존재하기 때문에 해당 지역의 인허가 설계를 전문으로 하는 토목설계사에게 원하는 목적의 개발행위가 가능한 토지인지 최종적으로 확인하는 것이 가장 확실한 방법 중 하나라고 할 수 있다.

2. 풍경에 속지 말고 개발할 수 있는지를 먼저 보자.
< 개발 하고 싶다 해서 할 수 있는 것이 아니다 >

한 폭의 그림 같은 집. 누구나 그 풍경 속에 담기고 싶은 로망이 있다. 토지를 매매할 때도 선택의 기준 중 큰 부분을 차지하는 것이 주변의 풍경이 아닐까.

고객들과 상담하다 보면 대부분 현장의 풍경에 반해서 혹은 멋진 집을 짓고 사는 노후를 상상하며 구매를 한다고 하는 경우가 많다. 운이 좋게 그 상상과 똑같이 되면 다행이지만 안타깝게도 구매를 하고 후회하는 분들이 많아 상담할 때 마음이 아플 때가 있다.

보이는 게 전부가 아니라는 말이 있듯이 토지는 보이는 것보단 보이지 않은 것에 대해 문제가 없는지 꼼꼼히 확인하고 그 후에 풍경에 빠져도 되지 않을까. 그저 토지 주변에 사계절의 분위기를 만들어줄 산과 에어컨을 틀지 않아도 보는 것만으로 시원한 계곡이 있는 것보다는 토지와 연결된 도로가 있는지, 건축물을 지을 때 필요한 배수시설이 있는지, 건축을 해도 문제가 없는 토지인지 등을 통해 토지가 내 노후대비를 함께해줄 수 있는지부터 보는 것이 현명하다. 내 그림 같은 집이 있어야 주변 풍경도 볼 수 있는 것이 아닐까?

개발은 하고 싶다고 내 마음대로 할 수 있는 것이 절대 아니다. 개발을 할 수 있는 토지의 조건과 토지의 주변 상태에 따라 개발 가능 여부가 판단되니 토지에 건축물을 지을 수 있는지 꼭 먼저 확인해보자.

현업 토목설계사와 공인중개사가 작정하고 만든
실패없는 토지분석

3. 개발을 위한 토지 보는 법을 확실히 알아보자.

< 토목설계에서 하는 토지분석을 배우자 >

토지분석 시 검토해야 할 사항들은 많지만, 토지를 구매할 때 가장 핵심적인 요소, 꼭 알아야 할 중요한 사항들이 있다. 전문가라면 각종 법적 사항을 세세하게 살펴보겠지만 일반 사람들은 딱 이것만 기억하고 접근하면 된다.

첫째, 토지와 접한 도로, 둘째 토지 주변 배수시설, 셋째 원하는 용도의 건축물이 가능한 지역. 최소한 이것들만 파악해도 쓸모없는 땅을 구매하는 실수를 하지 않을 것이다.

먼저 도로를 확인해야 한다. 토지와 도로가 붙어 있어야 하며, 어떤 건축물을 지을지에 따라 도로 폭의 규정이 달라지기 때문에, 즉 도로 폭이 좁다면 내가 원하는 용도의 건축물을 지을 수 없는 경우가 있어 도로에 대한 검토가 반드시 필요하다.

다음으로는 토지 주변 배수시설이 갖추어져 있는지 확인해야 한다. 배수시설은 물이 흐르는 길이며, 토지에 있는 물이 잘 흘러가는지 파악해 보면 알 수 있다. 계곡으로 흘러가거나 공공의 우수관이 있거나 주변에 하천이 있는지를 확인해보는 방법이 있다.

마지막으로 원하는 용도의 건축물이 가능한 지역인지 확인해야 한다. 확인하지 않고 토지를 구매한 후 계획한 건축물을 지을 수 없다는 말을 들었을 때는 방법이 없다. 농사만 가능한 지역인지, 집을 짓고 살 수 있는 지역인지, 야영장을 지을 수 있는 지역인지 등을 꼭 확인해야 한다.

지금은 짧게 핵심적인 요소에 관해 설명했지만 정확한 검토 방법은 "Part 2. 토지분석의 시작은 용어 확인부터"에서 토목설계사가 하는 토지분석을 배워보자.

4. 토지분석을 하기 위해 확인해야 할 사항은?
< 토지분석을 위한 사이트를 파악하자 >

토지분석을 할 때 현장확인을 통해 지리적, 환경적, 위험성을 고려하여 검토하는 것은 당연하다. 그러나 눈으로 보는 것만으로는 정확히 알 수가 없는 때도 있다. 토지 개발행위 시 법령에 따른 제한 규정을 편리하게 확인할 수 있는 공공기관의 사이트가 있다.

일반적으로 많이 사용하는 '토지이음'이 있다. '토지이음'은 용도지역, 용도구역, 용도지구 등을 한눈에 점검할 수 있다. 또한, 토지의 기본정보인 지목 및 면적, 개별공시지가까지 확인할 수 있다. 그뿐만 아니라 원하는 용도의 건축행위가 가능한지도 확인할 수 있어 전문가들이 토지분석을 할 때 가장 흔히 사용한다.

지역별로도 지역의 특성에 맞게 제공되는 사이트들도 있다. 충청남도 지역에서는 충청남도 공간정보 포털이라는 사이트가 있다. 충청남도의 지역에 관한 다양한 정보를 담고 있으며, '토지이음'에서 확인할 수 있는 자료뿐만 아니라 '토지이음'에 없는 자료도 볼 수 있다.

또한, 공주시는 공주시생활지리정보, 원주시는 원주시생활지리정보, 이천시는 이천시생활지리정보 등 지역별로 토지에 관한 정보를 제공하니 참고해도 좋다.

임야에 대해 검토를 하거나 환경적 분석을 할 수 있는 사이트 등 많은 사이트도 토지분석을 할 때 필요하지만 사용법까지 알기에는 알아야 할 것들이 많으니 천천히 알아보도록 하자.

5. 실무에 필요한 용어를 알아야 분석할 수 있다.
< 이 책을 읽어라. 기초의 첫걸음을 시작해보자 >

"4. 토지분석을 하기 위한 확인해야 할 사항은?"을 설명하면서 생소한 용어들이 있었을 것이다. 건축물이 가능한 지역인지 확인할 때 용도지역, 용도구역, 용도지구 등에 대해 알아야 할 필요가 있다고 했는데 처음 듣기에 생소해서 벌써 어렵다고 생각할 수도 있다. 하지만 토지를 구매할 때 후회하지 않기 위해서, 내가 원하는 방향으로 토지개발을 하기 위해서는 반드시 사전에 토지분석을 해야 한다.

모든 용어를 다 알면 좋겠지만 많이 사용하는 주요 용어들만 알아도 토지 분석하는 데에 큰 어려움이 없으니 이 책을 읽으면서 기초의 첫걸음을 시작해보자.

토지분석 첫걸음으로는 '토지이음'에 나오는 용어를 분석하는 방법부터 시작할 것이다. 용어에 담긴 내용을 쉽고 친숙하게 이해할 수 있게 설명할 것이니 겁먹지 말자. 이 책의 끝에서는 "나도 토지분석 할 수 있다. 토지분석 별거 없네."라는 자신감을 가질 수 있지 않을까.

토지분석의 시작은 용어 확인부터

〈토지의 자기소개서! 토지이용계획을 분석하는 법〉

1. 지목

< 이 땅은 어떻게 쓰이는 땅인가?! >

지목은 토지의 주된 용도에 따라 토지의 종류를 구분한 토지의 가장 기본적인 개념으로 필지마다 하나씩 정해져 있고 토지대장이나 토지이용계획확인원에서 확인할 수 있다. 지목은 국가가 지정하거나 소유권자가 필요에 따라 지목변경 조건이 충족하면 지목변경을 신청하여 변경할 수 있다.

지목이란 어려운 용어가 아니다. 밭농사를 짓는 전, 벼농사를 짓는 답, 과일을 재배하는 과수원, 산이라고 부르는 임야 등이 바로 지목이다.

이러한 토지에 건물을 짓기 위해 지목변경 조건이 필요하다. 농지의 경우에는 농지전용허가, 임야의 경우에는 산지전용허가 등의 절차를 거쳐 허가 후, 건축을 완료하고 준공이 끝나면 지목변경을 할 수 있다.

하지만 지목변경 없이 다른 목적으로 토지를 이용한다면 문제가 될 수 있다. 가령 농지에 농사를 짓지 않거나 신고하지 않은 농막을 두는 경우, 임야에 허가 없이 벌목하거나 훼손하고 건축하는 경우에는 원상복구나 처벌의 대상이 될 수 있다.

"내 땅을 내가 마음대로 한다는데 뭐가 문제지?"라고 생각할 수 있지만, 토지의 무분별한 개발이나 자연환경 보전을 위해 국가는 지목뿐만 아니라 여러 가지 법령을 통해 토지의 개발에 관한 규제를 하고 있다.

현업 토목설계사와 공인중개사가 작정하고 만든
실패없는 토지분석

이러한 이유로 원하는 목적에 맞는 지목인지 확인하고, 지목변경을 통해 원하는 용도로 사용할 수 있는지 분석할 수 있어야 한다.

개발행위가 가능한 토지가 곧 투자가치가 있는 토지임은 모두가 아는 사실이다. 원하는 목적의 지목변경을 통해 토지의 가치를 상승시킬 수 있다.

본 책에서 다루고 있는 내용을 한 걸음 한 걸음 함께하다 보면 당신도 현명한 토지 분석가, 능력 있는 토지 투자가가 될 수 있을 것이다.

지목의 종류	
지목	내용
전	물을 상시적으로 이용하지 않고 식물을 주로 재배하는 토지(곡물 등)
답	물을 상시적으로 이용하여 식물을 주로 재배하는 토지(벼 등)
임야	나무가 심어져 있는 산림, 수림지, 죽림지 등의 토지
대	영구적 건축물 중 구거, 사무실, 점포 및 문화시설과 이에 접속된 정원 및 부족시설물의 부지
공원	보건, 휴양 및 정서 생활에 이용하기 위한 시설을 갖춘 토지
공장용지	제조업을 하고 있는 공장시설물의 부지
과수원	사과, 배, 밤 등 과수류를 집단적으로 재배하는 토지
광천지	지하에서 온수, 약수, 석유류의 용출구과 그 유지에 사용되는 부지
구거	용수 또는 배수를 위해 일정한 형태를 갖춘 인공적인 부지
도로	보행이나 차량운행에 이용에 필요한 일정한 설비 또는 형태를 갖추어 이용되는 토지
목장용지	축산업 및 낙농업, 가축 사육을 목적으로 하는 토지
묘지	사람의 시체나 유골이 매장된 토지, 묘지공원, 봉안시설 등
사적지	문화재로 지정된 역사적인 유적, 고적, 기념물 등을 보존하기 위하여 구획된 토지
수도용지	물을 정수하여 공급하기 위한 취수, 저수, 송수, 배수 등과 관련된 토지
양어장	인공으로 조성된 양식물 시설을 갖춘 토지
염전	바닷물을 끌어들여 소금을 채취하기 위해 조성된 토지와 부속시설물의 부지
유원지	위락, 휴양시설, 수영장, 동물원, 경마장 등
유지	물이 고이거나 상시적으로 물을 저장하고 있는 댐, 저수지, 호수 등의 토지
잡종지	다른지목에 속하지 아니하는 토지
제방	조수, 자연유수, 모래, 바람 등을 막기 위하여 설치된 방조제, 방수제, 방파제 등의 부지
종교용지	종교의식을 위하여 예배, 법요, 설교, 제사 등을 하기 위한 교회 및 사찰
주유소용지	석유, 석유제품 또는 액화석유가스 등의 판매를 위하여 설비를 갖춘 시설물의 부지
주차장	주차시설을 갖춘 부지와 주차전용 건축물 및 이에 접속된 부속시설물의 부지
창고용지	물건 등을 보관 또는 저장하기 위하여 독립적으로 설치된 보관시설물의 부지
철도용지	교통 운수를 위해 일정한 궤도 등의 설비와 형태를 갖춘 부지
체육용지	국민은 건강증진 등을 위한 체육활동에 적합한 시설과 형태를 갖춘 토지
하천	자연의 유수가 있거나 있을 것으로 예상되는 토지
학교용지	학교의 교사와 이에 접속된 체육장 등 부속시설물의 부지

현업 토목설계사와 공인중개사가 작정하고 만든
실패없는 토지분석

자주 묻는 질문

Q : 건축물을 지을 때 건축설계 말고 개발행위허가를 받아야 한다는데, 개발행위허가가 무엇인가요?

A : 난개발을 방지하기 위해 개발행위를 하려는 자에 대해 "국토의 계획 및 이용에 관한 법률"에 따라 허가를 받도록 하는 것을 말합니다. 개발행위허가를 하지 않고, 토지의 형질변경(성토, 절토, 구조물 설치 등) 행위를 하는 것은 불법으로 처벌 대상이 될 수 있어 꼭 토지에 행위를 할 시 지자체 담당자 개발행위 및 토목설계사무소에 문의하기 바랍니다.

Q : 지목이 대지인데 허가 없이 건축물을 지을 수 있나요?

A : 신규 및 증축을 위한 건축물을 지을 때는 건축설계에 신고 · 허가를 받아야 하며, 토지 구조물 및 지형을 바꾸는 토목공사를 하면 토목설계사무소에 문의하는 것이 좋습니다.

2. 용도지역, 용도구역, 용도지구

<국가가 정해 놓은 행위 제한의 지침?!>

앞서 살펴본 지목을 통해 현재 토지가 쓰이고 있는 주된 용도를 알 수 있었다면 용도지역, 용도구역, 용도지구를 통해 토지에 어떤 개발행위가 가능한지를 알 수 있다. 먼저 용도지역은 토지의 이용 및 건축물의 용도 · 건폐율 · 용적률 · 높이 등을 제한함으로써 토지를 경제적 · 효율적으로 이용하기 위하여 지정된다.

일반적으로 토지의 가치는 토지를 얼마나 효율적으로 사용할 수 있는지에 따라 결정된다고 해도 과언이 아니다. 가령 대지 면적에 대해 건축할 수 있는 면적인 건폐율이 높고, 대지 면적에 대한 지상 건축물의 연면적 비율인 용적률이 높으면 건물 층수나 높이 제한이 없고 원하는 목적으로 건축허가가 가능하므로 이러한 토지를 가치 있는 토지, 누구나 구매하기 원하는 토지라 할 수 있다.

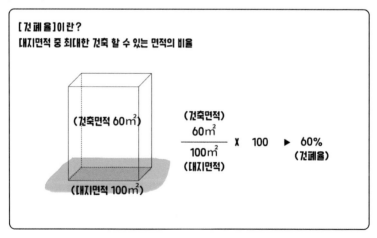

현업 토목설계사와 공인중개사가 작정하고 만든
실패없는 토지분석

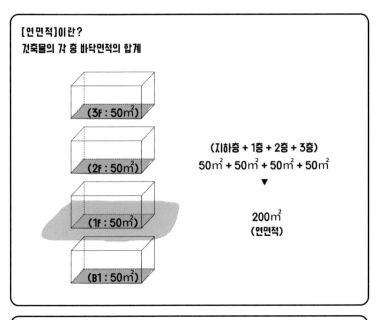

[연면적]이란?
건축물의 각 층 바닥면적의 합계

(3F : 50㎡)

(2F : 50㎡)

(1F : 50㎡)

(B1 : 50㎡)

(지하층 + 1층 + 2층 + 3층)
50㎡ + 50㎡ + 50㎡ + 50㎡

▼

200㎡
(연면적)

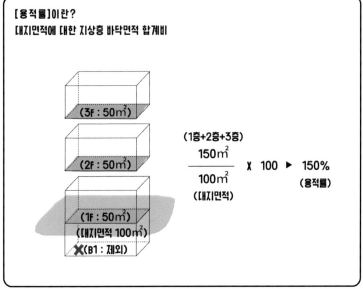

[용적률]이란?
대지면적에 대한 지상층 바닥면적 합계비

(3F : 50㎡)

(2F : 50㎡)

(1F : 50㎡)
(대지면적 100㎡)
✗(B1 : 제외)

$$\frac{(1층+2층+3층)}{100㎡} \times 100 \blacktriangleright 150\%$$
(대지면적)   (용적률)

구체적으로 살펴보자. 도시지역인 주거지역, 상업지역, 공업지역의 토지는 다른 용도지역보다 건폐율이나 용적률이 높아 다양한 건축행위가 가능하고, 토지 구획 및 도로망 등 인프라가 잘 갖춰져 있어 효율적으로 토지를 이용할 수 있다. 그러나 주변의 인프라가 확충된 만큼 지가가 비교적 높으므로 토지를 구매하여 사업을 하고자 한다면 토지의 가격 대비 창출할 수 있는 충분한 이익이 있는가를 검토하여 신중히 결정해야 한다.

반대로 보통 도시의 외곽에 있는 자연녹지지역이나 관리지역의 경우, 도시지역보다 건폐율과 용적률이 낮고 건축행위에 제약을 받지만 비교적 지가가 낮으므로 같은 사업비로 더 넓은 부지를 확보할 수 있다. 또한, 차후 각종 호재에 의해 지가가 상승할 여지가 충분하여서 자연녹지나 관리지역의 토지를 구매하는 것을 고려해볼 만하다.

또한, 농림지역은 비도시지역 중 개발행위를 하는 데에 제약을 많이 받지만 그만큼 토지의 지가가 가장 저렴하여 농림지역에 투자하여 차후 개발의 발전 가능성을 고려하기도 한다. 그러나 비도시지역은 자연환경을 보존하는 등 특별한 목적을 위해 설정한 지역으로 개발행위에 제약을 받기 때문에 단기간 투자로 이익을 얻기 어렵다.

즉 용도지역에서 어떤 사람은 현재 인구 밀도에 따른 수요와 인프라를 중점적으로 고려하여 좀 더 확실성이 있는 도시지역으로 안전한 투자를 결정하기도 하고, 어떤 사람은 비교적 지가가 낮은 비도시지역을 선택하여 차후 개발될 가능성을 기대하는 도전적 투자를 선택하기도 한다.

현업 토목설계사와 공인중개사가 작정하고 만든
실패없는 토지분석

그리고 용도지역을 확인하였다면 용도지역의 기능을 증진하기 위한 용도지구와 용도지역 및 용도지구의 제한을 강화 또는 완화하는 용도구역까지 함께 확인해야 한다. 용도지역, 용도지구, 용도구역은 토지이용을 규제, 관리하는 대표적인 법적 실행 수단으로 토지분석 시 행위 제한의 포괄적인 개념인 용도지역으로만 단순히 토지를 분석하는 경우 세부적인 개념인 용도지구와 용도구역의 행위 제한으로 인해 문제가 될 수 있다.

　이처럼 용도지역, 용도지구, 용도구역은 토지를 경제적이고 효율적으로 이용하기 위해 개발할 수 있는 범위를 사회적으로 정한 약속이다. 단순히 토지의 가치 유무를 판단하기보다는 용도지역, 용도지구, 용도구역의 개발 가능 범위 등에 대해 충분히 분석하고 본인이 원하는 목적이나 상황에 맞게 검토할 줄 아는 것이 토지분석의 시작이 될 것이다.

용도지역별 면적 제한

용 도 지 역	용도지역 세부항목		건폐율 (시행령)	용적률 (시행령)	면적제한
도시지역	주거지역	제1종 전용주거지역	50	50~100	10,000㎡ 미만
		제2종 전용주거지역	50	100~150	
		제1종 일반주거지역	60	100~200	
		제2종 일반주거지역	60	150~250	
		제3종 일반주거지역	50	200~300	
		준주거지역	70	200~500	
	상업지역	중심상업지역	90	400~1500	
		일반상업지역	80	300~1300	
		근린상업지역	70	200~900	
		유통상업지역	80	200~1100	
	공업지역	전용공업지역	70	150~300	30,000㎡ 미만
		일반공업지역	70	200~350	
		준공업지역	70	200~400	
	녹지지역	보전녹지지역	20	50~80	5,000㎡ 미만
		생산녹지지역	20	50~100	10,000㎡ 미만
		자연녹지지역	20	50~100	10,000㎡ 미만
비도시지역	관리지역	보전관리지역	20	50~80	30,000㎡ 미만
		생산관리지역	20	50~80	
		계획관리지역	40	50~100	
	농림지역		20	50~80	
	자연환경보전지역		20	50~80	5,000㎡ 미만

현업 토목설계사와 공인중개사가 작정하고 만든
실패없는 토지분석

용도지역에 따른 허가가능 여부

구 분	도시지역(녹지지역)			관리지역			비고 (건축법 / △ 해당이유)
	자연녹지	생산녹지	보전녹지	계획관리	생산관리	보전관리	
단독주택	○	○	○	○	○	○	용도지역의 건폐율에 따라 적용
다중주택	○	○	○	○	○	○	주택(17개동) 바닥면적합계 660㎡이하, 3개층이하 공동취사만 가능
다가구주택	○	○	×	○	○	○	주택(17개동) 바닥면적합계 660㎡이하, 3개층이하 19세대이하 거주
제1종 근린생활 (소매점)	○	○	△	○	○	○	바닥면적합계 1,000㎡미만 <u>바닥면적합계 500㎡미만</u>
제1종 근린생활 (사무소)	○	○	○	○	×	○	바닥면적합계 30㎡미만
제1종 근린생활 (휴게음식점)	○	○	○	△	×	×	바닥면적합계 300㎡미만 <u>하수도법에 따른 규정</u>
제2종 근린생활 (휴게음식점)	○	△	×	△	×	×	바닥면적합계 300㎡이상 <u>바닥면적합계 300~1,000㎡</u> <u>하수도법에 따른 규정</u>
제2종 근린생활 (일반음식점)	○	△	×	○	×	×	<u>바닥면적합계 1,000㎡미만</u> 용도지역의 건폐율에 따라 적용 <u>하수도법에 따른 규정</u>
제2종 근린생활 (사무소)	○	○	×	○	○	○	바닥면적합계 500㎡미만
제2종 근린생활 (제조업소)	○	○	×	○	△	×	바닥면적합계 500㎡미만 (배출시설 설치허가 및 신고대상 아닌 것) (폐수배출시설 설치허가 및 신고) <u>농기계수리시설제외</u>
숙박시설 (일반/생활숙박)	△	×	×	×	×	×	용도지역의 건폐율에 따라 적용 관광진흥법에 따라 적용 <u>하수도법에 따른 규정</u>
공장	△	△	×	△	△	×	배출시설 검토 <u>(위험물저장 및 처리시설, 자원순환 관련시설 등에 해당되지 않는 시설)</u>
자원순환시설	○	×	×	○	×	×	용도지역의 건폐율에 따라 적용 주변이격거리기준 적용(지차제)
야영장시설	○	○	×	○	○	○	바닥면적합계 300㎡미만 관광진흥법 야영장시설물 확인
관광농원	△	△	△	△	△	△	농어업인가능 (용도별 부지면적제한) (농업진흥구역 불가)

자주 묻는 질문

Ⓠ : 건폐율은 용도지역에 맞게 해야 가능한건 알고있습니다.
　　건폐율보다 작게 건축물을 지을 순 없나요?

Ⓐ : 건폐율을 초과하는 것은 안되지만 그 이하로 하는 것은
　　가능합니다. 하지만 건축법으로 정해진 바는 없으나 대지
　　면적을 크게하고 건축물을 작게 하는 경우가 많아 최소건폐율
　　(10%)을 적용하여 지양되는 사항입니다.

Ⓠ : 용도지역을 다른 용도지역으로 바꿀 수 있나요?

Ⓐ : 지자체에서도 도시관리계획(용도지역) 결정 주민의견서라는
　　것이 있습니다. 국토의 계획 및 이용에 관한 법률 제34조
　　에 5년마다 관할 구역의 도시 · 군관리계획에 대한 재검토
　　를 실행합니다. 그 때 주민의견서를 작성하여 신청을 하면
　　심의를 통해 변경 여부가 결정됩니다.

3. 접도구역과 완충녹지

< 비슷한 것 아닌가!? 라고 생각하면 큰일! >

일반적으로 도로와 붙어 있는 땅은 활용도가 높아 사람들이 선호하지만, 접도구역과 완충녹지가 지정되어 있는지 꼼꼼히 확인해 볼 필요가 있다. 접도구역과 완충녹지는 안전을 위해 혹은 환경 보존을 위해 지정된다는 점에서 유사하지만, 토지이용 시 행위 제한의 내용이 서로 다르므로 두 개념을 비교하여 토지를 분석해야 한다.

먼저 접도구역은 도로의 파손과 방지, 미관의 훼손 또는 교통에 대한 위험 방지를 위해 경계선으로부터 일정 거리 이내 지정되며 보통은 비도시지역의 국도나 지방도에서 볼 수 있다.

접도구역은 토지의 형질을 변경하는 행위, 건축물이나 그 밖의 공작물로 신축 · 개축 또는 증축하는 행위가 금지된다. 하지만 주차장, 배수로, 울타리 등 교통에 대한 위험을 가져오지 않는 범위에서의 행위는 가능하며 건폐율을 산정할 때는 접도구역을 포함하여 대지 면적을 산정하기 때문에 건축면적에 손해를 보지 않는다.

또한, 건축에 필요한 진입로 사용이 가능하며 필요에 따라 변속 차선을 개설해야 할 수도 있다. 변속 차선을 개설해야 하는 상황에 대한 자세한 내용은 본 책의 변속차선 및 연결금지구간 (p95)에서 자세히 확인해보자.

이처럼 접도구역은 여러 가지 행위를 하는 데에 제한을 받지만, 그 내용을 이해하고 시세 대비 저렴하게 토지를 매매하여 원하는 목적으로 토지를 활용한다면 좀 더 가치 있는 토지가 될 수도 있다.

예를 들어 계획관리지역의 경우 건폐율이 40%인데, 접도구역을 주차장이나 마당 등으로 활용하고, 필요한 경우 변속 차선을 개설한다거나, 토지가 두 개 이상의 도로와 접해 있어 다른 쪽으로 진입로를 만드는 등 교통에 대한 위험을 일으키지 않는 범위에서 행위가 가능하다.

다음으로 완충녹지란 도로와 철도 주변이나 공해·재해의 우려가 큰 지역과 분리할 목적으로 설치하는 녹지이며, 용도지역인 자연녹지지역, 생산녹지지역, 보전녹지지역과는 전혀 다른 개념이다.

완충녹지는 녹지조성을 위한 시설 외 건축물 설치, 토질의 형질변경 등 다른 용도의 사용이 금지되어 토지의 활용에 제약이 많다. 또한, 접도구역과 달리 건폐율을 산정할 때는 완충녹지를 제외하고 대지 면적을 산정하기 때문에 건축면적에 손해를 볼 수 있다.

더욱이 완충녹지는 건축에 필요한 진입로 개설이 불가능하고 토지와 도로 사이에 완충녹지가 있다고 해도 완충녹지를 점용 받아 진입로를 개설하는 것 또한 사실상 어려운 일이며 다른 진입로가 없다면 맹지가 될 수도 있다. 이렇게 접도구역과 완충녹지는 차이가 있으므로 토지를 분석할 때에는 개념을 분명히 이해하고 차이점을 구분하는 등 신중한 접근이 필요하다.

현업 토목설계사와 공인중개사가 작정하고 만든
실패없는 토지분석

구 분	진입로	건폐율	활용여부
접도구역	개설 O	포함 O	주차장, 마당, 울타리 등
완충녹지	개설 X	포함 X	녹지비율 50%이상 최소10m이상

주로, 접도구역은 비도시지역에 완충녹지는 도시지역에 지정됩니다.

자주 묻는 질문

Ⓠ : 접도구역에 진입로를 설치 할 때 높이 차이가 있습니다.
점용 시 옹벽으로 된 구조물 시설 설치도 가능할까요?

Ⓐ : 도로법 시행규칙 제18조 접도구역에서 허용되는 행위 중
도로의 안전을 위한 옹벽의 설치를 할 수 있습니다.
높이에 따른 가능 여부가 있겠지만 과도하지 않으면 문제
없이 허가권자와 협의 후 점용을 받으면 됩니다.

Ⓠ : 농수산물 관련 판매용 좌판을 설치하고 싶은데 접도구역
입니다. 설치를 할 수 있을까요?

Ⓐ : 도로법 시행규칙 제18조 접도구역에서 허용되는 행위 중
30㎡(제곱미터) 이하의 농수산물 판매용 좌판 및 농수산물
저온 저장시설 설치가 가능합니다.

현업 토목설계사와 공인중개사가 작정하고 만든
실패없는 토지분석

자주 묻는 질문

Q : 기존에는 접도구역이 없었지만, 차후 부지가 접도구역으로 포함되었습니다. 건물이 접도구역 안에 있는데 신축 가능할까요?

A : 토지의 형질을 변경하는 행위, 건축물이나 그밖의 공작물을 신축, 개축 또는 증축하는 행위는 원칙적으로 금지됩니다.

접도구역선이 지정 되기 전 토지주에게 통보를 하고 접도구역선을 지정하니 미리 행위여부를 파악해야 합니다.

4. 소하천 구역과 소하천예정지

< 득이 될 수도 실이 될 수도 있는 양날의 검 >

개울이나 계곡 등이 흐르고 경치가 좋은 토지는 전원주택지, 카페, 음식점, 야영장 등 다양한 용도로 활용할 수 있어 선호도가 높은 토지이다. 그러나 그 토지에 소하천구역이나 소하천예정지가 있다면 지정된 면적을 확인하여 원하는 목적으로 토지를 이용할 수 있는지에 대한 검토가 필요하다.

소하천구역이란 계속 물이 흐르거나 흐르고 있을 것이 예상되는 구역으로 하천구역과 유사하지만 작은 범위로 생각하면 이해하기가 쉽고, 소하천예정지는 소하천의 정비에 관한 계획이나 다른 법률에 따른 각종 공사계획 등으로 소하천구역으로 편입될 수 있는 토지를 말한다.

소하천구역이나 소하천예정지에 홍수나 재해를 예방하거나 하천 복구 등의 목적으로 개발하는 행위는 담당자와 협의하여 일부 가능할 수 있으나, 일반적으로 소하천구역이나 소하천예정지 내에서 다른 목적의 개발행위나 건축은 불가능하다. 또한, 건폐율을 산정할 때에는 소하천구역이나 소하천예정지의 면적을 제외하고 대지 면적을 산정하기 때문에 건축면적에 손해를 볼 수 있다.

소하천구역이나 소하천예정지에 제약 없이 건축이나 개발행위를 하게 된다면, 가령 옹벽을 쌓는다거나 구조물을 설치하는 행위는 물의 흐름에 영향을 주게 되어 집중호우로 인한 홍수 발생 시 침수 피해가 발생할 수 있으므로 재해 예방을 위해 개발행위에 제한을 두는 것이다.

만약 건축할 곳에 진입로를 확보할 부분이 소하천구역이나 소하천예정지를 통과해야 한다면 진입로 개설이 가능한지 반드시 사전 검토가 필요하다.

예를 들어 이미 포장된 도로가 있고 물이 흐르지 않는 소하천구역이나 소하천예정지인 경우, 점용 담당자와 협의하여 재해 예방에 영향을 주지 않는 범위에서 진입로 개설이 가능할 수 있다. 또한, 소하천을 건너가야 하는 상황이라면 담당자와 협의를 통해 교량 설치가 가능할 수도 있다.

하지만 위 상황은 담당자의 검토사항이기 때문에 담당자가 홍수나 재해에도 문제가 없도록 대규모 교량의 설치가 필요하다고 요구한다면 대규모 공사로 이어질 수 있어 비용에 대한 사전 검토도 반드시 필요하다.

그리고 소하천구역과 소하천예정지 또는 유사한 행위 제한을 받는 하천구역이 토지 주변에 있고, 토지 높이가 하천이나 구거에 흐르는 물의 높이와 비슷하다면 홍수위를 확인해보는 것도 좋다.

보통 홍수관리구역이나 침수위험지구 등으로 지정된 토지는 토지이용계획확인원에서 확인할 수 있지만, 하천정비 계획에 따라 설정된 홍수위는 토지이용계획확인원에 표시되지 않아 건축 시 유의해야 한다. 가령 계획홍수위보다 토지의 지대가 낮으면 홍수위보다 높게 성토해야 건축이 가능한 상황이 발생할 수 있기 때문이다.

마지막으로 소하천구역이나 소하천예정지는 하천정비 계획에 따라 유동적으로 변할 수 있다. 기존 소하천구역이나 소하천예정지인 토지가 해제될 수도 있고, 반대로 지정되어 있지 않은 토지가 새로 지정될 수도 있다. 이 경우에는 토지의 가치가 하락할 수 있으므로 소하천구역이나 소하천예정지가 토지 주변에 있는 경우 주기적으로 토지에 변동사항이 있는지 확인해야 하는 점도 알아두자.

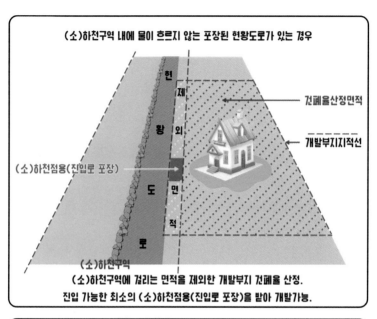

(소)하천구역 내에 물이 흐르지 않는 포장된 현황도로가 있는 경우

현
제

외

면

적

황

도

로

견폐율산정면적

개발부지지적선

(소)하천점용(진입로 포장)

(소)하천구역

(소)하천구역에 걸리는 면적을 제외한 개발부지 견폐율 산정.
진입 가능한 최소의 (소)하천점용(진입로 포장)을 받아 개발가능.

(소)하천구역 점용을 받아 다리를 개설하는 경우

개발부지지적선

(소)하천점용(다리 개설)

(소)하천구역

(소)하천기본계획의 허가기준(진입폭, 홍수위 등)과 실제지형을 고려해야함.

자주 묻는 질문

───────────────

ⓠ : 점용 비용과 점용 할 수 있는 기간이 정해져 있나요?

ⓐ : 점용 비용은 점용허가 받는 기관에 따라 다르지만 진입로
    개설 시 점용 받는 면적의 공시지가의 1년 기준 2~5%정도
    로 책정됩니다. 점용 기간은 목적에 따라 달리 정해져
    있으며, 기간 연장도 가능합니다.

ⓠ : 하천구역, 소하천구역, 소하천예정지의 경우 건축행위를
    할 수 없는데 진입로 개설 공사나 도로포장은 가능한가요?

ⓐ : 소하천예정지의 경우 주변환경에 문제가 없으면 가능하며,
    하천구역 및 소하천구역은 하천정비 유무에 따라 정해집니
    다. 위험도에 문제가 없어 하천정비 할 필요가 없는 곳이
    라면 지자체 판단에 따라 포장이나 구조물공사가 가능할
    수 있습니다.

    예)1. 하천과 직접적으로 연관 있는 경우 : 구조물 · 포장 X
       (하천 사면부분으로 유실 우려가 있는 경우 등)
      2. 하천과 직접적으로 연관 없는 경우 : 구조물 · 포장 O
       (차후 하천정비에 문제가 없는 경우, 하천구역이지만
       현재 비포장도로로 사용하는 경우, 하천기능을 상실
       한 경우 등)

자주 묻는 질문

Ⓠ : 점용을 받으려 하는데 면적제한이 있나요?

Ⓐ : 점용면적 제한은 없습니다.
하지만 주변에 피해가 생기는 상황까지 점용을 해준다면
민원이 발생하기에 협의를 통해 구역을 선정하는 것이
바람직합니다. 기본적으로 폭은 개발행위 상황에 따라
변동이 있을 수 있으며 길이는 최소한으로 설정됩니다.

Ⓠ : 도로와 하천 중 어떤 것이 더 점용 받기 힘든가요?

Ⓐ : 상황에 따라 달라 둘 중 힘듦을 비교할 수는 없습니다.
하지만 도로점용보다 하천점용 부분이 위험성과 정비
사업으로 인해 문제가 되는 경우가 있어 제한사항들이 더
많습니다.

도로는 도로이용을 위한 점용이 많지만 하천점용은 하천의
행위를 위한 점용이 아니고 도로 및 부지조성을 위한 것이
기 때문에 제한사항이 많은 것.

자주 묻는 질문

ⓠ : 제 땅에 하천구역이 있는데 구역계획 선을 바꿀 수 있는
방법이 없을까요?

ⓐ : 소하천 정비종합계획은 10년마다 수립하여, 소하천예정지
같은 경우 소하천정비법 제1항, 제2항에 따라 지정·고시
된 날로부터 3년 이내에 그 소하천에 관한 사업이 착수
되지 않는 경우에는 효력을 잃게 되어 있습니다.
예정지 계획선이 아닌 경우에는 고시된 내용에 따라 계획
선이 바뀌는 경우가 있는데 위험요소 및 하천정비의 상황
에 따라 판단하는 경우도 있어 지자체에 문의하기 바랍니다.

ⓠ : 하천점용을 다른사람이 받았는데 조건없이 같이 사용을 할
수 있을까요?

ⓐ : 점용을 득한 사람에게 권한이 있어 점용이 된 곳의 사용을
원한다면 점용을 득한 사람에게 동의서를 받아야 합니다.
동의서는 지자체마다 다르지만 최근 들어 토지사용승낙서와
인감증명서까지 받아야 합니다.

5. 보전산지와 준보전산지

< 이것조차 모르면 임야는 접근금지! >

임야는 농지(전, 답, 과수원)와 함께 토지투자 시 선호되는 지목이다. 임야는 농지보다 비교적 가격이 저렴하여 적은 돈으로 큰 토지를 매매할 수 있어 투자 대비 고수익을 낼 수 있다는 기대가 있다. 반면 농지는 최근에 까다로워진 농지법에 따라 매매 시 농지취득자격증명이 필요하고 반드시 농사를 지어야 하는 점 때문에 임야에 관심을 두는 경우도 많다.

하지만 임야에도 건축행위에 대한 행위 제한사항이 존재하므로 임야에 관심을 두고 토지를 분석한다면 이 점을 반드시 명심해야 한다. 임야에 개발행위나 건축을 진행할 때 먼저 임야의 종류와 개념을 알아야 한다. 임야는 크게 보전산지와 준보전산지로 구분된다.

보전산지는 임업 생산과 공익을 위해 지정된다. 보전산지는 산림자원의 조성과 임업 경영기반의 구축 등 임업 생산 기능의 증진을 위한 임업용산지와 임업 생산과 함께 재해 방지, 수원 보호, 자연생태계 보전, 산지 경관 보전, 국민보건휴양 증진 등 공익 기능을 위한 공익용산지로 구분된다.

이처럼 보전산지는 개발보다는 임야의 보전 목적이 강하여 농림어업인 주택이나 공익용 시설 등 극히 제한적인 개발행위만 가능할 뿐 산림을 훼손하는 일반적인 개발행위나 건축허가는 불가능하다.

따라서 투자용으로는 적당하지 않은 경우가 많아 보전산지에 대한 확실한 계획이나 이용 목적이 없다면 신중한 검토가 필요하다.

준보전산지는 보전산지 외의 산지로 특별한 경우를 제외하고는 건축하기 위한 산지전용이 가능하여 주택, 야영장, 공장 등의 개발 용도로 적합한 임야이다.

준보전산지는 해당 임야가 속한 용도지역에 따라 건축물의 용도와 건폐율, 용적률이 결정된다. 또한, 임야에는 경사도, 표고, 입목 축척도 등이 산지 전용허가신청의 중요한 기준이 된다.

이렇듯 만약 임야에 투자 및 개발의 목적이라면 준보전산지를 중심으로 검토하는 것이 현명할 것이다. 임야를 분석하는 자세한 내용은 본 책의 임야 분석방법(p122)에서 다시 한번 확인해보자.

현업 토목설계사와 공인중개사가 작정하고 만든
실패없는 토지분석

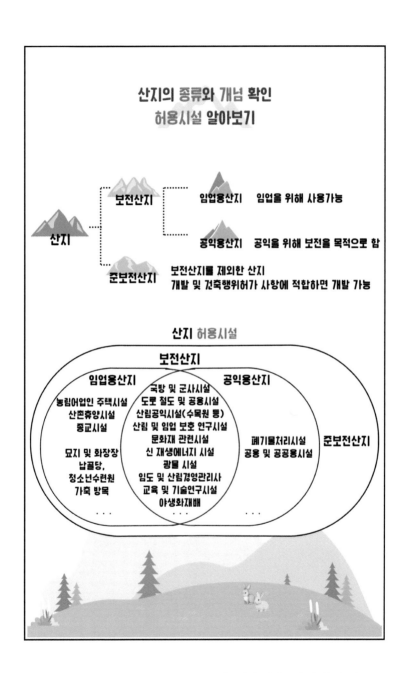

산지의 종류와 개념 확인
허용시설 알아보기

산지 ┬ 보전산지 ┬ 임업용산지   임업을 위해 사용가능
  │   └ 공익용산지   공익을 위해 보전을 목적으로 함
  └ 준보전산지   보전산지를 제외한 산지
    개발 및 건축행위허가 사항에 적합하면 개발 가능

산지 허용시설

보전산지

임업용산지   공익용산지

국방 및 군사시설
농림어업인 주택시설   도로 철도 및 공용시설
산촌휴양시설   산림공익시설(수목원 등)
종교시설   산림 및 임업 보호 연구시설
문화재 관련시설
묘지 및 화장장   신 재생에너지 시설   폐기물처리시설
납골당,   광물 시설   공용 및 공공용시설
청소년수련원   임도 및 산림경영관리사
가축 방목   교육 및 기술연구시설
야생화재배

준보전산지

. . .   . . .

자주 묻는 질문

Ⓠ : 임야 지번에 '산'이 붙어 있고 없고의 차이는 무엇인가요?

Ⓐ : '산'이 붙어있는 지번은 임야대장, 임야도로 확인할 수 있고 '산'이 붙어 있지 않은 지번은 토지대장, 지적도에서 확인 할 수 있습니다. 지번에 '산'이 붙어 있지 않아도 임야일 수 있으므로 지목을 확인해야 합니다.

Ⓠ : 임야에 농막 및 지하수 관정을 설치할 수 있을까요?

Ⓐ : 임야에 축사가 있는 경우 농막이 가능한 부분도 있지만 보통 임야에서는 임야에 관한 행위만 가능합니다, 산림경영관리사의 행위가 대표적입니다. 조건에 맞는 신고 절차를 밟는다면 설치가 가능합니다. 농지보다 임야의 지하수관정 설치는 매우 까다롭지만 산지 관련 신청 및 신고를 득하면 관정 또한 가능합니다.

자주 묻는 질문

◎ : 임야지만 현재 농지로 사용하고 있습니다.
개발하려는데 산지인가요? 농지인가요?

Ⓐ : 행위에 따라 산지와 농지로 나눠지는 것이 아닙니다.
지목으로 판단하는 부분입니다, 농지로 쓰고 있어도 임야
입니다. 또한, 현재 산지를 농지로 쓰고 있기 때문에 개발
하려 할 때는 상황에 따라 불법으로 간주하여 산지로 복구
후에 개발행위가 가능합니다.

◎ : 이전에 구조물을 설치한 임야에 개발을 하는데 문제가 없
을까요?

Ⓐ : 먼저 구조물에 대해 허가없이 설치했을 경우 불법이며, 이
에 따른 산지관리법과 형사소송법을 같이 판단하여 처벌을
받을 수 있습니다. 산지관리법으로는 불법사항들이 준보전
산지 5년, 보전산지 7년이 지나면 처벌은 받지 않지만
복구설계 신청을 해야합니다. 형사소송법(249조 공소시효
의 기간)과 같이 판단하게 되면 상황에 따라 산지관리법 기준
보다 처벌기준이 중대한 사항으로 될 수 있습니다.

자주 묻는 질문

Q : 산지를 농지로 바꾸고 싶은데 가능할까요?

A : 산지에서 농지로 지목을 바꾸는 것을 '개간'이라 합니다.
개간허가를 득하여 최종적으로 농지가 되는데 지자체마다
판단여부가 달라 상황 및 조례를 확인 해야합니다.
한 지자체는 규정에 문제가 없으면 개간허가가 가능하지만
다른 지자체는 개간 후 5년 뒤에 다른 용도로 개발이
가능하여 개간목적이 농지가 아닌 차후 개발목적으로 판단
하여 반려하는 경우도 있습니다.

Q : 주변의 임야는 계획관리지역인데 제 임야만 농림지역인데,
계획관리지역으로 바꿀 수 있을까요?

A : 지자체에서도 도시관리계획(용도지역) 결정 주민의견서라는
것이 있습니다. 국토의 계획 및 이용에 관한 법률 제34조
에 5년마다 관할 구역의 도시·군관리계획에 대한 재검토
를 실행합니다. 그 때 주민의견서를 작성하여 신청을 하면
심의를 통해 변경여부가 결정됩니다.

6. 지역마다 다른 조례
< 고수들도 실수하는 지역마다 다른 규정 >

어느 지역은 가능한 개발행위가 어느 지역에선 불가능한 경우가 있다. 이는 지자체마다 조례가 다르므로 적용되는 기준이 달라질 수 있기 때문이다.

우리나라는 지방자치제도를 시행하고 있고 지역마다 각각의 고유한 성격을 지니고 있다. 그리고 지역의 여러 일을 처리하기 위해 지자체가 지방 의회의 의결을 거쳐 만드는 법규범인 조례를 두고 있다.

다시 말해 국가에 법률이 있다면 지자체에는 조례가 있다. 조례는 상위법에서 위임하는 범위에서 각 지역의 특색을 살려 제정한 것이다. 각 지역의 특성과 상황에 맞춰 행위를 제한하거나 일부의 경우에는 기준이 완화될 수도 있다.

더욱이 개발행위나 건축허가의 경우 상위법에서 세부적인 내용은 조례로 정한다고 되어 있는 경우가 많다. 따라서 지자체의 조례에 따라 행위를 제한하는 사항이 있다면 조례에 맞춰 허가를 받아야 하며, 특히 재량행위의 경우 허가권자의 업무 성향에 따라 요구하는 사항이 달라질 수도 있다.

또한, 예전에는 가능했던 개발행위가 지금은 불가능한 때도 있다. 이는 상위법에 비해 상대적으로 지자체의 조례가 지방 의회의 의결을 거쳐 쉽게 개정될 수 있는 점이 이유가 될 수 있다.

현실에서는 지역마다 다른 조례로 인해 개발행위나 건축허가 시 전국에 있는 토지를 일률적으로 분석하기 어려운 점이 생길 수 있다.

그렇기에 먼저 "국토의 계획 및 이용에 따른 법률" 등을 살펴보며 토지를 분석하는 것도 중요하겠지만, 특정 사업용 부지나 어느 정도 규모가 있는 개발행위 및 건축허가를 생각한다면 지자체별로 기준이 다른 경우가 많은 점을 반드시 기억하자. 즉, 토지를 원하는 목적으로 사용 가능한지 지자체별 조례를 반드시 검토하는 것이 실패 없이 토지를 분석하는 방법이 될 것이다.

예시로 공주시와 세종시의 조례를 간략하게 비교해보자. 공주시와 세종시의 조례에서 도로, 상수도, 산지에 관한 규정 등이 같은 부분이 무엇인지, 지자체마다 환경 및 상황에 따라 어떠한 부분을 다르게 정했는지 한번 살펴보자.

현업 토목설계사와 공인중개사가 작정하고 만든
실패없는 토지분석

허가규정 비교하기		
구 분	공 주 시	세 종 시
도로상태 / 포장	사업부지 1,000㎡ 미만 지목에 관계없이 공공이 활용하는 도로 경우 도로폭 규정 미적용	
도로상태 / 비포장	지목이 도로인 국유지여도 비포장은 도로로 인정안됨	사업부지면적 1,000㎡미만인 경우 국유지 / 공유지의 지목이 도로인 경우와 차량 진출입이 가능한 부지 일 경우 허가능
도로폭규정	개발면적(㎡) 2,000㎡ 미만 : 3m (조건 : 100m이내 최소 폭 2m, 깊이 10m 이상 대기차로 확보) 5,000㎡ 미만 : 4m 5,000㎡~30,000㎡미만 : 6m 30,000㎡이상 : 8m	개발면적(㎡) 2,500㎡미만 : 3m (조건 : 100m이내 대기차로 1개이상 확보) 2,500㎡~10,000㎡미만 : 5m 10,000㎡이상 : 6m(2차로) 공동주택 / 숙박시설 / 판매시설 공장 / 창고(농업용은제외) 중 연면적 2,000㎡ 이상 건축 : 6m

장애인법 관련 도로경사도 확인(일반진입로는 14%까지 적용)
장애인경사도 설치기준은 경사도 8%이하로 진입로를 설치하여야함.
적용대상 건축물은 제1종근린생활시설 / 제2종근린생활시설이며, 대부분 다 적용됨.

구 분	공 주 시	세 종 시
오 수 / 우 수	오수처리지역 → 지자체 관(련)에 연결 오수처리지역이 아닐 경우 → 단독정화조 설치	
상 수	상수도설치확인 (준공 시 계량기 사진첨부) 관정설치확인 (준공 시 관정필증 첨부)	
구 조 물 높 이	조례 상 규정은 없으나 통상 수직높이 3.5m미만으로 계획 2단 시 소단은 1.0m이상 적용	수직높이가 3m x 2단 소단 1.5m 이상 적용

허가규정 비교하기

구조물 높이 3.0m 이상 설치 시 구조물 위험성으로 인한 구조물겸토를 의뢰해야합니다.
세종시는 1단 높이를 최대 3m로 보고 있으며, 3m 구조물을 설치하면
중간 소단을 1.5m를 이격하고 다시 단을 쌓아야 합니다.

현업 토목설계사와 공인중개사가 작정하고 만든
실패없는 토지분석

허가규정 비교하기		
구 분	공 주 시	세 종 시
산 지 적 용 / 평 균 경 사 도	25도 이상 비율이 40%가 측정되면 허가불가(40%미만으로 실시)	
	25도 이하(허가가능상태 적용)	17.5도 이하(허가가능상태 적용) (농가주택일 경우 : 20도 미만적용)
표 고 분 석	해당산지의 표고 50%미만에 위치	해당산지의 표고 40%미만에 위치
입 목 축 적	150% 미만 적용	100% 미만 적용

산지는 농지와 다르게 추가적인 규정이 없습니다.
경사도, 표고분석, 입목축적은 관련 업체 및 전문가가 실시해야합니다.

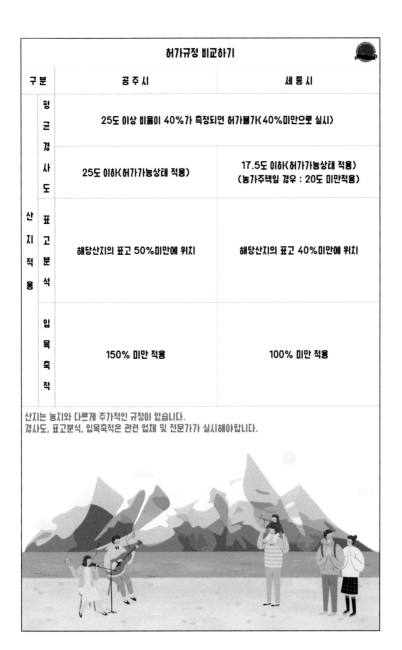

자주 묻는 질문

───────────────────────

Ⓠ : 주택을 짓기 위해 조례를 봤을 때 규정에는 문제가 없는데 불가능하다 합니다. 이유가 무엇인가요?

Ⓐ : 인허가에서는 규정을 기준으로 허가를 득합니다. 하지만 현장의 환경 및 위험성에 근거하여 판단하는 경우도 있습니다.
예를들면 산지 규정 중 경사도 및 산림조사 등 기준이 있습니다. 하지만 조례 상 경사도 규정에는 문제없으나 산사태 및 현장이 위험하다 판단되면 가능·불가능 여부를 판단하며, 농지 또한 허가 받으려는 부지가 농업경영에 필요한 역할이 있다고 판단되는 부지이면(현장고려) 이또한 판단합니다.

Ⓠ : 조례 기준에 맞지만 인근 주택 경관을 해쳐 건축을 할 수 없다고 합니다. 허가 시 경관에 따른 문제가 있나요?

Ⓐ : 경관문제는 민원문제로 볼 수 있습니다.
건물과 건물사이 이격거리는 민법 제242조에 따라 특별 관습이 없으면 50cm 이격해야 합니다. 하지만 주변에서 경관을 해친다는 이유로 민원을 제기하면 허가가 지연되거나 문제가 생기게 됩니다. 보통 이런 민원의 경우 2층이상의 건물 허가에 일어나는 상황이며, 허가 전에 미리 인근 주민과의 협의를 하는 것이 좋습니다.

자주 묻는 질문

Ⓠ : 조례가 바뀌는 경우가 있나요?

Ⓐ : 조례도 상황에 맞게 계속 바뀝니다. 때문에 수시로 확인
해야합니다. 조례 중 허가가 안되는 규정이었지만 개정이
되어 허가를 할 수 있는 경우도 있습니다.
① 2023년 03월 이전의 공주시는 계획관리지역에서
  생활형숙박시설이 불가했지만 이후 가능합니다.
② 작물재배사 태양광 설치 준공 후 가능 → 준공 후 2년

Ⓠ : 국토의 계획 및 이용에 관한 법률의 소관 부처가 국토교통
부(국가)이고 조례는 지자체(지방)법률인데 조례에서 안되
면 허가가 불가능 한가요?

Ⓐ : 상위법, 하위법이라고 할 수 있는 법에서는 상위법을 우선
시 하는 경우도 있지만 허가관련 규정들은 조례를 더 우선
시 합니다. 조례는 상위법을 기준을 토대로 지자체 상황을
고려하여 개정하기 때문입니다.

자주 묻는 질문

Q : 조례를 지역마다 찾아가면서 보는게 힘이 듭니다. 조례를 한번에 비교하여 볼 수 있나요?

A : '자치법규정보시스템' 홈페이지에서 전국 조례를 비교하며 확인할 수 있습니다.

현업 토목설계사와 공인중개사가 작정하고 만든
실패없는 토지분석

7. 건축을 할 수 없는 용도구역
< 모르면 손해 보는 행위 제한 >

토지분석에서 그 토지가 얼마나 좋은 입지를 가지고 있는가도 중요하겠지만 어떻게 활용할 수 있는지도 꼭 확인해 볼 필요가 있다. 사업용이나 건축을 목적으로 한다면 원하는 방향으로 사용할 수 있는지에 대한 검토가 필요하다.

주변의 개발호재와 교통여건과 같은 입지도 중요하겠지만 안전한 토지에 투자하여 수익을 내기 위해서는 용도지역과 용도구역, 용도지구를 확인하여 토지마다 정해놓은 행위 제한을 확인하고 개발이나 건축을 할 수 있는지 검토하는 것 또한 중요하다.

예를 들어 공사비용이 많이 발생하더라도 원하는 목적으로 개발하는데 아무런 행위 제한이 없고, 개발하여 이익을 가져올 수 있는 토지가 있다면 투자할 가치가 있다.

하지만 행위 제한으로 인해 개발 자체가 불가능한 토지에 투자한다면 내 능력으로 토지의 가치를 올리는 방법이 없고 다시 되팔기 어려울 뿐 아니라 언제가 될지 모르는 규제가 풀리기를 하염없이 기다릴 수밖에 없으므로, 이러한 투자는 투기나 도박에 가까운 행동이 될 것이다.

그러므로 만약 '토지이음'에서 다음과 같은 내용을 확인한다면 개발이나 건축이 제한되는 토지이므로 신중한 접근이 필요하다.

첫째, 개발제한구역 :

도시의 경관을 정비하고, 환경을 보전하기 위해서 설정되며 그린벨트(greenbelt)라고도 하는데 건축물의 신축·증축, 용도변경, 토지의 형질변경 및 토지분할 등의 행위가 제한된다. 간혹 개발제한구역에서 건축하는 방법으로 이축권을 소개하고 있지만, 이축권마다 신축할 수 있는 조건이 다르고 이축권을 가진 사람이 해당 토지에 이축허가 및 건축허가를 받아야 등 절차가 까다롭고 변수가 많아 토지 투자를 전문으로 하는 사람이 아니면 추천하지 않는 방법이다.

둘째, 상수원보호구역 :

상수도 확보와 수질 보전을 위해 필요한 지역에 지정하며 상수원의 확보와 수질 보전을 위하여 건물의 신축이나 형질변경 등 상수원을 오염시키는 행위는 금지된다.

셋째, 비오톱 1등급 :

다양한 동식물이 공동체를 이뤄 서식하는 생태공간을 뜻하는 용어로 생태계를 보전하기 위해 개발이나 건축이 금지된다.

넷째, 도시자연공원구역 :

도시의 자연환경 및 경관을 보호하고 여가 · 휴식공간을 제공하기 위하여 도시지역 안에서 식생이 양호한 산지의 개발을 제한할 필요가 있다고 인정되는 지역으로 이러한 구역에는 건축할 수 없다.

자주 묻는 질문

 : 개발제한구역에서 농막 설치 가능한가요?

Ⓐ : 개발제한구역법 시행령(별표1) 설치의 범위(제13조 제1항
관련)에 가설건축물신고를 하여 농막 설치가 가능합니다.
농막 설치 시 영구건축물이 아니므로 농막에 해당하는
조건 및 규정을 확인 후 신고해 농막 설치를 하면 됩니다.

Ⓠ : 개발제한구역에서 지목 대지인 땅을 가지고 있는데 건축
할 수 있나요?

Ⓐ : 개발제한구역의 지정 및 관리에 관한 특별조치법 시행령
(별표1 제5호다목)에 관하여 개발제한구역 지정 당시부터
대지였거나 기존 주택이 있던 토지에 대해서 신축을 할 수
있습니다. 허나 신축을 할 경우 개발행위 시 조례에 따른
도로의 폭이 나오지 않거나 문제가 있으면 신축이 불가능하
므로 개축을 실시하는 경우가 있습니다.

자주 묻는 질문

Ⓠ : 근린공원과 도시자연공원구역은 다른건가요?

Ⓐ : 근린공원과 도시자연공원구역은 비슷한 용어로 혼동되는
경우가 있습니다. 근린공원은 도시계획시설이고 도시자연공
원구역은 용도구역으로 전혀 다른 분류에 속해 있습니다.
도시계획시설의 근린공원은 지정된 지 20년 이상 사업을
시행하시 않으면 해제되며 도시자연공원구역의 경우 해제
기한이 존재하지 않습니다.

Ⓠ : 대지를 제외한 개발제한구역에서 어떤 행위가 가능한가요?

Ⓐ : 개발제한구역법 시행령(별표1) 설치의 범위(제13조 제1항
관련)을 확인해 알아볼 수 있습니다. 그 중 몇가지를 보면
전기충전소(전기자동차) 및 세차장 등 허가가 가능하며
규정 기준에 문제가 제한사항은 없습니다.

현업 토목설계사와 공인중개사가 작정하고 만든
실패없는 토지분석

8. 재개발 & 군사시설 관련 용도구역
< 건축할 수 있는지 확인해 봐야 하는 용도구역 >

'토지이음'에서 재개발과 군사시설 관련 구역도 확인할 수 있다. 재개발되면 토지의 가치가 상승한다는 기대 때문에 재개발 지역에 관심을 두는 사람도 많다.

먼저 재개발과 관련한 용도지역, 용도지구가 설정된 토지는 일반적으로 재개발로 인한 시세차익을 위해 접근하지만, 이 지역에 건축행위가 필요하다면 반드시 건축할 수 있는지 확인해 봐야 한다.

재개발 지역은 (구)시가지나 낙후된 지역의 노후 된 건물을 철거하거나 일괄적이고 체계적으로 개발하고 정비하는 데 목적이 있어 건축허가를 통한 신축은 자원낭비를 막기 위해 대부분 건축허가가 불가능하다.

하지만 목적이나 사업에 따라 신축이 가능한 때도 있고, 재개발이나 재건축사업의 필요성이 적은 존치구역에 해당할 수도 있어 확인이 필요하다.

정비구역 :
노후 지역을 재개발·재건축을 통해 계획적으로 정비하기 위해 지정 고시한 구역

재개발구역 :
재개발사업을 시행하기 위하여 도시계획으로 지정하여 알린 구역

재정비촉진지구(뉴타운) :
도시의 낙후된 지역에 대한 주거환경개선과 기반시설의 확충 및 도시기능의 회복을 광역적으로 계획하고 체계적이고 효율적으로 추진하기 위하여 지정·고시된 지구

 반면 군사시설과 관련하여 군사기지 및 군사시설 보호구역은 군사기지 및 군사시설을 보호하고 군사작전을 원활히 수행하기 위하여 지정된다. 군사시설 보호구역은 통제보호구역과 제한 보호구역으로 구분되는데 군사 시설물의 중요도와 일반인의 안전을 위해 개발행위나 건축행위가 제한될 수 있어 확인이 필요하다.

 군사기지 및 군사시설 보호구역에서 건축허가를 받기 위해서 관할 부대장과 협의해야 하며 고층 건물을 짓는다면 높이와 관련해서도 대공방어 협조구역 및 비행 안전구역에 대한 규제가 있을 수 있어 관할 군부대와 협의해야 한다.

 군사시설과 관련된 내용이 지정된 구역에서 건축허가 시 행정관청에 협의 신청서를 제출하면 행정관청이 군부대와 협의하여 결과를 통보해준다. 일부 지방자치단체에서는 대공방어 협조구역 및 비행 안전구역에 대한 건축허가의 경우 군부대와 협의 없이 허가를 진행하는 때도 있다.

통제보호구역 :
고도의 군사활동 보장이 요구되는 군사분계선의 인접 지역과 중요한 군사기지 및 군사시설의 기능보전이 요구되는 구역

제한보호구역 :

군사작전의 원활한 수행을 위하여 필요한 지역과 군사기지 및 군사시설의 보호 또는 지역주민의 안전이 요구되는 구역

대공방어협조구역 :

대공방어작전을 보장하는 데 필요하다고 인정되어 특별시 ·광역시· 특별자치도·시·군 관할 구역을 기준으로 지정되며, 서울특별시는 전 지역이 대공방어협조구역에 해당한다.

비행안전구역 :

군용항공기의 비행 안전에 필요한 최소한의 범위 안에서 지정되며 항공기의 안전비행을 방해하는 행위나 비행 장애를 일으킬 우려가 있는 행위가 금지된다.

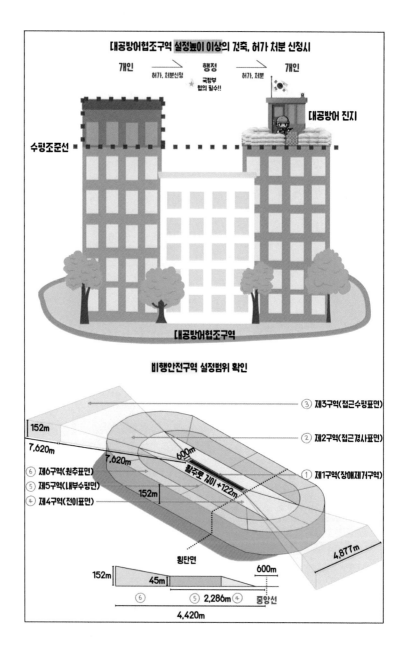

현업 토목설계사와 공인중개사가 작정하고 만든
실패없는 토지분석

자주 묻는 질문

Q : 존치구역은 무엇인가요?

A : 행정 요건이 충족되지 않아 재개발이나 재정비가 보류된 지역으로 두 가지로 분류됩니다.

재정비촉진구역의 지정요건에는 해당하지 않지만 차후 요건이 충족되면 재개발이나 재정비사업이 가능한 존치정비구역이 있습니다. 그리고 주민의 반대나 구역 특성상 재개발이나 재정비 대신 기존 시가지로 보존할 필요가 있는 존치관리구역으로 나뉩니다.

존치정비구역의 경우 일반적으로 건물의 신축, 지분 나누기 등의 개발 행위를 할 수 없습니다. 하지만 존치관리구역은 상황에 맞춰 재개발이나 재정비사업의 가능성이 낮아 상황에 따라 신축이나 개발행위가 가능합니다.

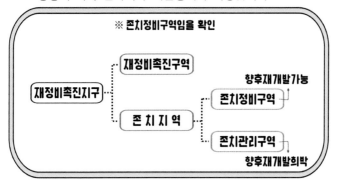

자주 묻는 질문

Ⓠ : 비행안전구역에 해당되는 지역인데 제한고도를 확인 할 수 있는 방법이 있을까요?

Ⓐ : 우선 토지이음에 주소를 입력하여 비행안전구역에 포함이 되는지 확인해야 합니다. 다음으로 '브이월드 지도서비스'를 이용합니다. 비행안전구역 및 장애물제한표면 구역을 선택 후 나시 한번 주소를 입력하면 고도제한 해발높이를 확인 할 수 있습니다.

지역 비행안전구역 고도제한을 확인하시면 표 하단부에 지역마다 번호가 다르니 확인이 필요합니다.

비행안전구역 상세정보(서 울 시)	
속성	정보
고도제한 해발높이	180.34m
활주로 기본표면 해발높이	28.34m
관할(관리) 부대	공군 15비
관할(관리) 담당부서	계획처
비행안전구역 추가 정보	추가정보 확인
토지이용계획 확인	상세정보 확인
관할(관리) 전화번호 : 031-720-3125	

9. 문화재 관련 용도구역
< 땅 사고 조상님 원망, 이제 그만! >

문화재 주변에는 개발행위가 어렵다고 생각할 수 있지만 실제로 문화재 주변에 도시나 관광지를 이루고 있는 경우와 건축된 건물의 모습도 흔히 볼 수 있다.

그렇다면 문화재 주변의 토지분석은 개발행위가 가능한 지역인지와 그에 따른 행위 제한의 내용이 있는지가 핵심이 될 것이다.

먼저 문화재 구역이란 문화재나 유적이 직접 점유하고 있는 면적을 말하며, 문화재 보호구역은 그 주변에서 문화재가 나오거나 나올 수 있어 이를 보호해야 하는 면적을 말한다.

문화재 보호구역 중 국가지정문화재 보호구역은 문화재로부터 반경 500m이며, 시·도지정문화재 보호구역은 지역마다 차이가 있지만 보통 문화재로부터 반경 300m에 지정된다. 이러한 구역은 개발행위에 대한 규제가 있다.

또한, 문화재 보호구역을 감싸고 있는 역사문화환경보전지역, 문화재 보전영향 검토 대상 구역, 현상변경허가 대상 구역에서는 개발행위가 어느 정도 가능하고 정도에 따라 구역을 나눠 행위 제한을 받게 되는데 가장 심한 1구역부터 통상적으로는 7구역으로 나누어진다.

1구역이 가장 문화재와 가깝고 행위 시 규제가 심하다. 문화재마다 행위 제한의 기준이 다르므로 반드시 확인해야 한다. 문화재 공간정보 서비스라는 인터넷 사이트를 통해 해당 토지가 속한 구역과 그에 해당하는 행위 제한을 확인할 수 있다.

마지막으로 문화재 관련 규제가 있는 토지는 개발행위를 하기 전 심의를 거친다. 심의 후 허가를 득하여도 공사할 때 문화재 유무를 확인하며 공사해야 한다. 공사 중 문화재가 발견된다면 공사가 중단되는 등의 경우가 있다.

그러므로 문화재 주변의 토지를 분석하고 있지만, 위험성이 부담된다면 기존에 건축물이 존재하거나 멸실되어 지목이 대인 토지를 검토하는 것도 좋은 방법이다.

이러한 토지는 이전에 건축 시 문화재 발굴 여부를 확인했다는 것이고 추가로 주변에 건축물이 많다면 그만큼 문화재로 인한 개발행위 어려움에 대한 위험성은 줄게 된다.

아울러 문화재 관련 규제가 있는 토지를 매매할 경우 최종적으로 지자체에 문의하여 원하는 목적으로 이용할 수 있고 건축할 수 있는지 확인해보는 것도 안전하게 토지를 투자하는 방법이 될 것이다.

1구역 ~ 7구역까지 구역별 허용기준(안) : 공주시문화재 "공주고마나루"

구분	문화재 공간정보 서비스 범례	허용기준(안)	
		평슬라브	경사지붕
1구역		◦ 개별심의	
2구역		◦ 개별심의 - 단 공익을 위한 시설물 설치는 최고높이 4m이하로 허용	
3구역		◦ 건축물 최고높이 5m이하 - 기준 초과시 "공주고마나루" 주변 경관 보호를 위한 개별심의	◦ 건축물 최고높이 7.5m이하 - 기준 초과시 "공주고마나루" 주변 경관 보호를 위한 개별심의
4구역		◦ 건축물 최고높이 11m이하	◦ 건축물 최고높이 15m이하
5구역		◦ 공주시 도시계획조례 등 관련 법률에 따라 처리	
6구역		◦ 역사문화환경 보존육성지구로서 고도보존 및 육성에 관한 특별법에 따라 처리	
7구역		◦ 역사문화환경 특별보존지구로서 보존 및 육성에 관한 특별법에 따라 처리	

자주 묻는 질문

Q : 문화재지역에 해당하는데 개발행위허가 시 문화재 조사를 받아야 하나요?

A : 문화재지역은 지표조사 신청 및 신고를 합니다.
신청 후 지표조사 결과 검토 · 보존조치 통보를 하며, 결과 검토를 개발행위허가 시 첨부해야 합니다.

Q : 문화재 조사를 한 후 문화재가 나왔다면 어떻게 해야하나요? 또한 문화재 조사 비용에 지원을 받을 수 있나요?

A : 지표조사 신청 및 신고 후 지표조사 결과검토를 받았을 때 매장문화재가 있다면 정밀발굴조사를 실시해야 합니다. 발굴 기간은 200일 이상이며, 조사기관은 2년 이내에 정식 보고서가 작성됩니다. 또한, 정밀발굴조사는 국비지원 가능하며, 문화재협업포털에서 확인 할 수 있습니다.

문화재관련 사항은 문화재관련 업체 및
1577-5805(문화재 협업포털)에 문의하길 바랍니다.

건축할 수 없다면 맹지!
〈맹지 사서 탈출 할 생각 절대금지〉

1. 도로의 종류
< 다 같은 도로가 아니다?! >

토지에 접한 도로는 토지의 가치를 판단할 수 있는 중요한 요소이다. 도로의 유무에 따라 맹지가 될 수도 있고, 어떤 도로가 접해 있느냐에 따라 건축할 수 있는 종류와 개발할 수 있는 면적의 범위가 결정된다.

사전적 의미로 도로란 사람, 자동차, 자전거 등 통행을 위해 만들어 놓은 비교적 넓은 길이다. 토지를 분석하는 관점에서 도로의 본질은 땅으로 진입하기 위한 길이며, 중요한 것은 원하는 목적에 따라 개발행위나 건축이 가능한 도로인지의 여부일 것이다.

먼저 가장 기본이 되는 도로의 종류부터 살펴보면 크게 두 가지로 분류할 수 있다. 도로법, 국토법, 농어촌정비법, 사도법, 건축법 등 다양한 법률로 고시 및 공고된 법정도로와 관계 법령에 따라 지정·고시되지 않았지만, 예전부터 관습적으로 사용하거나 지자체에서 개인 토지주에게 토지사용승낙서를 받고 포장하여 공공의 목적으로 사용할 수 있게 설치한 사실상의 도로인 현황도로로 나눌 수 있다.

법정도로의 경우 보통 국가기관이나 지자체에서 다양한 법적 규정에 근거하여 관리하기 때문에 국유지인 경우가 대부분이다. 국유지 사용에 대한 이해 관계인의 동의나 승낙에서는 비교적 자유로울 수 있지만, 각각의 법률에서 요구되는 특징을 알아야 건축할 수 있다.

현업 토목설계사와 공인중개사가 작정하고 만든
실패없는 토지분석

고속도로에서는 건축행위를 할 수 없지만, 그 외 법정도로에서는 개발하는 땅과 가까이 연결되어 있을 때 변속차선을 설정해야 하는 경우가 있다.

반면 현황도로의 경우 비도시지역에서 흔히 볼 수 있으며 지목이 도로가 아님에도 도로인 상태로 사용하여 현황상 도로로 인정되는 경우가 많다. 국유지가 아닌 사유지인 경우가 있어 상황에 따라 이해관계인의 토지사용승낙서를 받아야 개발할 수 있으므로 현황도로는 담당자와 협의하여 확실하게 검토하는 편이 좋다.

더욱이 포장된 도로처럼 보이지만 실제로는 건축이 가능한 도로로 인정받지 못하는 경우와 실제 현장에 도로가 없지만, 점용을 통해 도로를 개설하여 개발행위나 건축을 할 수도 있다. 도로를 이해하고 구분할 줄 알아야 이해 관계인의 동의나 승낙 없이 자유롭게 개발행위를 할 수 있고 가치 있는 토지 투자가 가능하다.

	도로의 종류	기호 및 모양	위성사진
법정도로	고속국도	1	
	특별·광역시도	2 2	
	일반국도	3	
	지방도로	4	
	시·군·구도	5	
	농어촌도로	도로법에 규정되지 않았지만, 읍·면 지역의 도로로 주민의 교통편익과 생산 등에 공용되는 공공의 도로	
현황도로	지정도로	법령에 고시되지 않은 도로지만, 지방자치단체의 조례 요건에 해당되는 경우 건축이 가능한 도로.	

2. 도로의 중요성
< 도로의 폭이 토지의 가지를 결정 >

토지분석 시 실제로는 도로가 있어 보이거나 지목이 도로라고 해서 당연히 건축할 수 있는 것이 아니다. 건축이 가능한 도로는 일정한 요건을 갖춘 도로이며, 분석하는 토지가 건축이 가능한 도로에 접하거나 도로를 개설하여 건축이 가능한 도로까지 연결할 수 있어야 한다.

먼저 건축법에서 말하는 도로를 살펴보면 보행 및 자동차 통행이 가능한 너비 4m 이상의 도로를 의미하며 일반적으로 법정도로에 의해 고시 및 공고되거나 건축허가권자가 인정한 건축법상 도로가 이에 해당한다. 건축허가가 가능하기 위해서는 토지와 도로가 접하는 부분의 길이가 2m 이상이 되어야 한다.

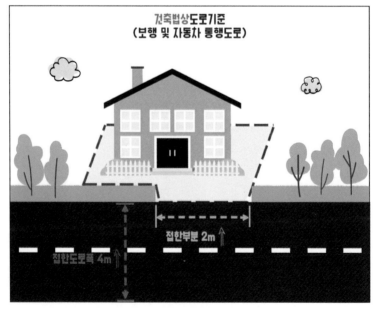

현업 토목설계사와 공인중개사가 작정하고 만든
실패없는 토지분석

그리고 건축법상 도로의 요건을 갖췄다면 개발 및 건축허가(신고) 시 도로 폭에 따라 개발행위 면적이나 건축물의 종류가 제한될 수 있다는 점도 알아두어야 한다.

사람들은 보통 단순히 용도지역에 따라 건축물 건축 가능 여부가 정해지고, 건폐율과 용적률에 따라 개발할 수 있는 면적을 산정한다고 생각한다.

하지만 허가권자는 개발행위 면적과 건축의 종류에 따라 도로를 이용하는 차량이나 사람들의 통행량을 종합적으로 검토하여 허가한다. 따라서 목적에 맞는 용도지역과 좋은 입지를 가진 땅을 찾아도 도로 폭을 면밀히 검토하지 않는다면 개발행위를 할 수 없는 경우가 생길 수 있다.

개발행위 면적에 따른 도로폭

개발행위 면적	요구되는 도로폭
30,000㎡ 초과	8m
5,000㎡ 초과 ~ 30,000㎡ 이하	6m
5,000㎡ 이하	4m

건축물 용도에 따른 갖추어야 할 도로폭

건축물용도(신축)	요구되는 도로폭 / 접도길이 폭
2,000㎡ 이상의 건축물	6m이상 / 4m이상
3,000㎡ 이상의 공장	6m이상 / 4m이상

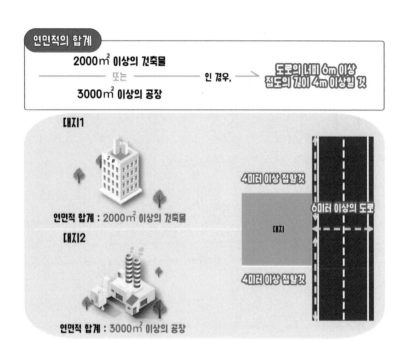

건축물 용도와 면적에 따라 요구되는 도로 폭의 기준이 다른 이유는 간단하다. 예를 들어 대형마트의 경우에는 이용하는 차량이 많으므로 도로교통이 원활해야 하고, 대형 주차장이 필요하다. 단독주택을 허가할 때와 같은 조건의 규정을 적용한다면 다중 이용시설물에 대한 위험성이 커져 문제가 발생할 수 있다.

이처럼 개발 및 건축허가(신고)에 따라 도로 폭이 달라지는 이유는 건축물의 규모나 역할로 인해 주변 도로상황에 영향을 주는 경우가 발생하기 때문이다. 따라서 토지를 분석할 때 원하는 목적의 개발행위 면적과 건축물의 종류 및 도로 폭의 규정을 확인해 볼 필요가 있다.

자주 묻는 질문

Q : 4m 이하 도로는 건축이 불가능 한가요?

A : (개발행위 허가 운영지침 3-3-2-1 도로)
4m 이하의 도로여도 건축이 가능한 예외사항들이 있습니다. 차량 진·출입이 가능한 기존 마을안길, 농업인 등 관련 시설 부지 면적 1,000㎡미만의 제1종근린생활시설, 단독주택 증축 및 개축 등 차량 진·출입이 가능한 경우 규정이 적용되지 않습니다.

Q : 2,000㎡ 이상의 건축물인 경우 6m 이하 건축이 불가능 한가요?

A : (건축법 시행령 제28조 법 제44조 제2항)
축사, 작물재배사, 그 밖에 이와 비슷한 건축물로 건축조례로 정하는 규모의 건축물은 제외합니다.

자주 묻는 질문

⊙ : 마을길은 도로가 외길로 된 막다른 도로로 도로너비가 좁은데 건축이 불가능한가요?

Ⓐ : 지목이 대지이지만 토목시공으로 개발행위허가 대상이 된다면 국토의 계획 및 이용에 관한 법률로 적용되나, 건축행위만 했을 때는 막다른 도로로서 그 도로의 너비가 그 길이에 따라 성하는 기준 이상인 도로는 건축법시행령 제3조의 3의 기준에 따릅니다.

막다른 도로의 길이	도로의 너비
10m 미만	2m
10m이상 ~ 35m미만	3m
35m이상	6m(비도시 읍,면지역은 4m)

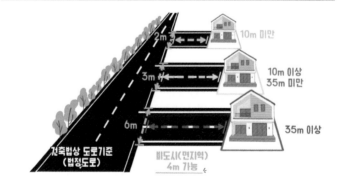

현업 토목설계사와 공인중개사가 작정하고 만든
실패없는 토지분석

자주 묻는 질문

───────────────────────

Q : 내 땅에 포장하여 도로로 사용해도 문제없나요?

A : 개발행위허가를 하지 않고 토지형질변경(성토, 절토, 구조물 등)의 행위는 불법이므로 처벌대상이 될 수 있습니다.
개발행위허가 없이 공사를 실시하면 불법이며 지자체 및 토목설계사무실에 확인 후 진행해야 합니다.

Q : 산에 예전부터 사용하던 길이 있습니다. 과거에 포장하여 진 · 출입로 사용하는 임도입니다. 건축행위를 할 수 있을 까요?

A : 임도로 건축행위를 하는 것은 조건에 맞지 않습니다.
불법으로 허가없이 설치한 임도는 허가 없이 포장을 했기 때문에 건축행위를 하기 위해서는 원상복구라는 절차를 이행 한 후 건축행위가 가능합니다.

3. 도로 개설을 위한 점용

< 도로에 접하지 않는다면 도로를 확보하자 >

토지가 도로에 접하지 않았다면 건축 시 진입로 확보가 가능한지 확인하여야 한다. 혹시 도로가 접해 있지 않다면 점용허가를 통해 진입로 개설이 가능한지 검토해 보자.

바둑판처럼 반듯하게 계획되어 구획이 정리된 도시지역의 토지와는 달리 비도시지역인 토지의 경우 토지 모양이 반듯한 사각형 모양이 아니며 도로 모양 또한 일정한 폭으로 반듯하게 접하지 않을 수 있다.

만약 토지 경계와 접한 국유지 도로가 있거나 토지 위로 도로가 지나간다면 곧바로 진입로 개설이 가능할 것이고, 토지와 도로 사이의 토지가 도로가 아닌 국유지라면 점용허가를 받아 진입로를 개설할 수 있다.

점용은 일정 금액을 주고 여러 가지 목적에 맞게 허가받아 국유지를 빌려서 활용한다는 의미로 쉽게 이해할 수 있다. 그리고 우리가 알아야 할 핵심이 있다. 토지와 도로 사이에 국유지가 있다면 지목이 도로가 아니더라도 구거점용이나 하천점용 혹은 전, 답 등 다양한 지목의 점용허가를 받아 진입로를 개설할 수 있다.

진입로 개설을 목적으로 점용을 검토할 때 고려해야 할 첫 번째 문제는 공사비용이다. 점용 허가받아야 하는 부분이 물이 흐르지 않거나 평지라면 평탄화 후 도로를 포장하면 되고, 작은 배수로가 있다면 흄관을 묻고 포장하면 된다. 이러한 경우는 적은 비용으로 진입로를 개설할 수 있을 것이다. 반면 넓은 구거점용이나 하천점용이라면 교량을 놓아야 하는 상황까지 발생할 수 있다. 이럴 때는 토지에서 얻는 실익이 진입로 개설에 대한 비용보다 큰지를 반드시 고민해 봐야 할 것이다.

두 번째는 점용허가를 받을 수 있는지 검토해야 한다. 예를 들어 앞서 말한 하천점용의 경우 길이가 5m 이상은 공사비용도 많을뿐더러 점용허가 담당자는 민원과 자연재해가 발생할 우려를 고려하여 검토하기 때문에 점용허가가 어려울 수 있다. 토지와 도로 사이의 국유지를 통행하기 위한 가로의 짧은 구간의 점용허가는 가능하겠지만, 맹지 탈출을 위해 세로의 긴 구간에 대한 점용허가는 허가 자체가 다소 어렵다. 또한, 국유지는 개인에게만 이롭게 점용을 해주면 주변 토지주에게 방해를 주면 안 되므로 이해관계가 생길 수 있는 인접한 다른 토지소유자의 토지사용승낙서 및 사용동의서 등이 필요할 때도 있다.

세 번째는 현재 점용이 필요한 토지에 먼저 점용 받아 사용 중인 사람이 있는지 확인해야 한다. 만약 누군가 점용하여 사용하고 있다면 건축허가 시 먼저 점용 받은 사람의 토지사용승낙서가 필요하다. 반대로 토지 매매 시 매도자가 점용 받은 토지가 있다면 점용허가권까지 함께 승계받아야 토지이용 간 문제가 없을 것이다.

자주 묻는 질문

Q : 점용 비용과 점용할 수 있는 기간이 정해져 있나요?

A : 점용 비용은 점용허가 받는 기관에 따라 다르지만 진입로 개설 시 점용 받는 면적의 공시지가의 1년기준 2~5%정도로 책정됩니다. 단독주택의 경우 주택법 제 2조 제1호에 따라 점용할 경우 전액 면제가 가능합니다. 점용 기간은 목적에 따라 달리 정해져 있으며, 기간 연장도 가능합니다.

Q : 도로점용을 받을 때 면적제한이 있나요?

A : 면적제한은 없지만 필요한 면적만 가능하며 담당자와 협의를 봐야 합니다. 점용을 실시할 때는 여건상 불가능한 경우를 제외하고는 차량이 진입할 수 있는 공간확보는 문제없이 점용 가능합니다.

현업 토목설계사와 공인중개사가 작정하고 만든
실패없는 토지분석

자주 묻는 질문

Ⓠ : 도로점용 허가는 도로로만 사용 가능한가요? 진·출입로로
    사용하지 않고 구조물만 쌓고 싶은데 가능한가요?

Ⓐ : 도로점용 시 진·출입로 개설 외 사업부지 평탄작업을 위
    한 구조물 설치에 따른 점용이 가능합니다.
    구조물 높이 및 길이 종류는 지자체 마다 다르니 허가권자와
    협의하여 확인 후 점용을 실시하면 됩니다.

Ⓠ : 다른 토지주가 도로점용을 득하여 진·입로를 설치하였는
    데, 설치한 진·출입로를 사용하는데 문제가 없나요?

Ⓐ : 도로점용은 먼저 점용을 득한 사람에게 권한이 있으므로
    점용부분 사용 시 토지사용승낙서 및 사용동의서를 받아
    야합니다. 사용되는 진·출입로가 점용을 득한 진·출입로
    인지 아닌지의 여부는 지자체 도로점용 담당자를 통해 확
    인해 볼 수 있습니다.

4. 토지사용승낙서
< 남의 땅 쓰는 것, 쉬운 일이 아니다 >

개발행위나 건축허가 시 토지사용승낙서가 필요할 수 있다. 토지의 공동소유자 중 한 사람이 건축할 때, 대규모 토지개발사업을 할 때 소유권 이전이 되기 전에 매수자가 건축허가를 할 때 필요로 하는 경우가 있다. 심지어 토지를 담보로 은행에서 대출을 받기도 하는데, 은행에서 설정한 담보 지상권 때문에 은행에 사용승낙서를 받아야 하는 일도 있다. 토지를 분석하기 전에 토지사용승낙서의 개념을 알아둔다면 좀 더 다양한 시각에서 토지를 바라볼 수 있을 것이다.

개발행위나 건축허가를 받을 때 지상권자, 공유지분권자 등 이해관계인이 있거나 주변 토지의 사용 또는 재산권을 침해하는 경우에 토지를 사용할 수 있도록 토지사용승낙이 필요하다. 이를 문서로 작성하여 허가 담당자에게 제출해야 한다. 정해진 문서 양식은 없지만, 토지의 표시(소재지, 지번, 면적, 지목 등 해당 땅의 정보), 사용의 표시(토지사용 목적, 사용 기한 등), 서명 및 날인(계약 당사자들의 계약 이행에 대한 서명 날인) 등이 포함된다.

여기서 생각해볼 점은 토지사용승낙서는 단순히 채권적 권리일 뿐 소유권 이전을 통해 완전한 권리를 취득하거나 지상권 또는 지역권 등 사용에 대한 권리를 보장받은 것이 아니므로 토지사용승낙서에 대해 잘 이해하고 신중한 접근이 필요하다.

토지사용승낙서와 관련하여 알아두어야 할 첫 번째 내용은 양 당사자 이외에는 그 효력이 승계되지 않는다는 것이다. 다시 말해 승낙해 준 소유자가 변경되거나 토지사용승낙서를 통해 건축허가를 받은 토지의 매매 시에도 매수자가 건축허가를 승계받기 위해서는 다시 토지사용승낙서를 받아야 한다.

두 번째는 토지사용승낙서를 받아야 할 토지의 소유주가 여러 명이면 모든 소유주에 대한 토지사용승낙서가 필요하고, 재건축할 때도 토지사용승낙서가 필요할 수도 있다. 이는 이해관계인의 재산권 침해를 방지하기 위함이다. 건축허가를 받고 준공 완료 후 시간이 지나 수리·수선 목적의 개축이나 리모델링의 경우에는 토지사용승낙서가 필요하지 않을 수도 있다. 하지만 이전에 타인의 토지에 토지사용승낙서 받았다고 하더라도 신축이나 증축 시 토지사용승낙서를 다시 받아야 할 수 있다.

세 번째는 토지사용승낙서의 범위를 단순히 통행 목적 등 제한적으로 작성할 경우 분쟁에 휘말릴 수 있다. 도로의 지하에는 여러 가지 생활에 필요한 기반시설이 매설된 경우가 있고, 새로 매설해야 하는 경우가 많다. 기반시설을 토지까지 연결하기 위해서는 토지사용승낙서의 사용 목적 및 범위를 지상의 도로 사용뿐 아니라 지상 또는 지하의 전기, 가스 상하수도 등 각종 기반시설 설치로 포괄적으로 설정해 두는 것이 현명할 것이다.

마지막으로 토지 매매 시 소유권 이전이나 잔금을 지급하기 전에 매수자의 개인 사정 때문에 매도자에게 건축허가를 위한 토지사용승낙서를 요구하는 상황이 생길 수 있다.

토지사용승낙서를 해 준다는 것은 아직 소유권이 이전되기 전에 내 토지 위에 타인의 소유에 건물을 짓는 것을 허락한다는 의미로 신중하게 판단하여 결정해야 한다.

그리고 만약의 상황을 대비해 매매계약서 특약에 계약 해제 시 승낙해준 토지사용승낙서 무효, 소유권 이전까지 공사행위 금지, 매도인이 일방적으로 허가 철회신청 가능 등의 내용을 포함하거나, 미리 계약 해제 조건부 허가철회신청서 및 매수인의 인감증명서까지 받아두는 등 사전에 안전장치를 해두는 것이 바람직하다.

누군가는 저렴한 금액에 맹지를 매매 해서 토지사용승낙서를 통한 맹지 탈출. 즉 큰 수익을 꿈꾸며 맹지를 매매하기도 한다. 하지만 일면식도 없는 타인을 위해 자신의 토지를 선뜻 내주는 사람은 없을 것이고 반드시 그에 맞는 대가를 요구할 것이다. 토지사용승낙서는 주변 토지 및 개발행위를 하는 데 있어 중요한 역할을 하기에 이에 대한 이해가 없다면 큰 낭패를 당할 수 있을 것이다.

ⓠ : 승낙서 양식이 따로 있나요?

ⓐ : 규정된 양식은 없으나, 토지사용승낙서에 꼭 기재될 사항이
있어 참고하길 바랍니다.

토 지 사 용 승 낙 서

※토지(임야)조서

토지의 소재지				지 번	지 목	지적면적(㎡)	사용면적(㎡)	비 고
시·군	읍·면	리·동						

사용자 주소 :
사용자 성명 : ○ ○ ○   주민등록번호 :
용   도 :
사 용 기 간 :

상기 부동산은 본인의 소유권에 대하여 상기자의 사용목적으로 사용할 수 있도록 승낙합니
다.

2024년   01월   01일

토지소유권자 주소 :
주 민 등 록 번 호 :
성   명 :   (인감도장날인)

※ 첨부서류 : 인감증명서 1통

공주시장 귀하

자주 묻는 질문

ⓠ : 토지사용승낙서를 받으려 하는데 기간이 따로 있나요?

ⓐ : 토지사용승낙서는 기간을 명시하는데 토지주가 기간을 따로 정하지 않으면 기간을 영구적 명시 할 수 있습니다.

ⓠ : 토지사용승낙서를 받아 개발행위허가 시 첨부 자료로 제출했습니다. 하지만 토지사용승낙서가 '오래됐다'하여 다시 받아야 하는 상황인데 이유가 있을까요?

ⓐ : 개발행위허가에 첨부된 토지사용승낙서는 최근 3개월 이내에 받은 서류만 인정합니다. 기간이 오래된 토지사용승낙서는 토지주와의 의견이 상이한 부분이 생길 수 있다는 판단을 하기 때문입니다. 또한, 최근 3개월 이내 발급된 토지사용을 승낙한 토지주의 인감증명서도 제출해야 합니다.

현업 토목설계사와 공인중개사가 작정하고 만든
실패없는 토지분석

5. 도로공유지분

< 공유지분이 있어도 건축 시 토지사용승낙서 >

도로 공유지분은 이웃 간에 함께 도로를 개설한 때에 설정하는 경우가 많고, 분양하는 전원주택지나 소규모 개발한 부지에서도 흔히 볼 수 있다. 도로 개설 시, 그 도로를 함께 사용하고자 한다면 도로공유지분을 설정해야 안전하다. 개설된 도로에 대하여 공유지분을 하지 않는다면 공유지분을 단독적으로 가지고 있는 사람이 도로 사용에 대하여 단독 권리행사를 하여 주변에 피해를 줄 수 있기 때문이다.

도로 공유지분을 소유한다는 것은 일종의 안전장치이다. 도로 공유지분이 없다면 건축이나 매매 시 낭패를 보는 경우가 발생한다. 만약 전원주택지에 건축허가 시 이미 건축법상 도로로 지정공고가 된 도로이거나, 지자체로부터 현황도로로 인정받은 경우에는 도로 지분권자의 토지사용승낙서가 필요하지 않을 수 있다. 그러나 비도시지역 등 대부분의 경우에 건축행위 시 허가 관련 담당자들은 개인의 소유권이 우선이라 판단하여 도로 지분권자들의 토지사용승낙서를 요구할 것이다.

만약 개발행위에 필요한 토지에 도로 지분을 가지고 있다면 모든 지분권자에게 토지사용승낙서를 받아야 하는 번거로움은 있지만, 토지사용승낙서를 거절하는 지분권자는 없을 것이다. 그 이유는 반대로 거절한 지분권자도 차후 개발 시 다른 지분권자 모두에게 토지사용승낙서를 받아야 하기 때문이다.

민법에 있는 공유에 대한 두 가지 조항을 살펴보면 좀 더 명확해진다. 우선 민법 제263조는 "공유자는 그 지분을 처분할 수 있고 공유물 전부를 지분의 비율로 사용, 수익할 수 있다."라고 되어 있다. 공동으로 쓰는 도로의 지분이 있다는 것은 도로를 사용할 수 있는 권리가 있다는 의미가 된다. 따라서 도로 지분이 있는 경우 지분권자들이 소유한 도로를 통행하고 공동으로 사용하는 데 별다른 문제가 없다는 것이다.

그리고 민법 제264조는 "공유자는 다른 공유자의 동의 없이 공유물을 처분하거나 변경하지 못한다."라고 되어 있다. 이는 모든 공유자의 동의 없이 물리적인 형질변경 등의 행위 또한 하지 못한다는 의미이다. 쉽게 말해 공유지분으로 소유한 도로는 지분권자들이 함께 관리하고 사용하는 도로이라는 의미이다.

마지막으로 도로 공유지분이 있는 토지를 매매할 때는 확실하게 권리를 승계받아야 하며, 분쟁의 소지가 있는 사항에 대해서는 사전 확인이 꼭 필요하다. 도로 공유지분이 여러 필지일 때는 건축허가가 필요한 구간의 도로 지분이 모두 승계되는지 확인해야 한다.

또한, 도로 공유지분의 토지 지목이 도로가 아니거나 현황도로로 인정받지 못하는 상황에서 분할만 하여 포장되지 않은 채 매매한다면, 반드시 도로 개설 진행 주체가 누군지, 포장의 비용이 얼마인지 확인해야 한다. 필요하다면 공증이나 특약 등의 명시를 확실하게 해두어야 한다.

아울러 토지 매매 후 바로 건축할 계획이라면 주변 상황을 확인하여 건축 일정에 차질이 생기지 않도록 주의해야 한다. 만약 도로 공유지분을 가진 토지가 현황도로로 인정받지 못한 상황에서 다른 도로 공유지분권자가 먼저 건축허가를 받았다면 준공을 완료하기 전까지 도로 공유지분을 가진 토지는 현황도로로 인정되지 않아 건축허가를 받기 어려울 수 있기 때문이다. 그러므로 토지 매매 후 바로 건축행위를 할 때는 이를 명심하여 건축 일정에 대한 분쟁이 없도록 주의하자.

자주 묻는 질문

Q : 도로공유 지분이 다른 공유자들보다 적다하여 건축허가 시 불이익이 있나요?

A : 보통은 분양 받은 토지의 면적에 비례하여 도로공유지분을 나눠 함께 분양하고 도로지분의 많고 적음이 허가조건이 아니라 도로공유지분권자 전원의 토지사용승낙서가 허가조건이며 도로지분권자 전원의 토지사용승낙서를 받는다면 건축시 불이익은 없습니다.

Q : 도로에 대한 사용 승낙이 있다면 상하수도나 전기, 가스의 인입(매립)이 가능한가요?

A : 일반적으로 토지사용승낙서 내용에 도로를 포함한 전체를 명시하거나 전원주택지의 경우 토목공사 시 인입(매립)하는 경우가 대부분입니다. 하지만 토지사용승낙서에 도로만 사용한다 작성해 토지사용승낙서를 받게 되면 차후 인입(매립) 공사가 필요 할 때 추가로 받아야하는 상황이 있을 수 있습니다.

6. 변속차선 및 연결금지구간
< 도로가 있는데도 건축을 못한다!? >

대규모 부지를 개발할 때 변속차선에 대해 어느 정도 염두에 두고 토지를 분석하겠지만 일반적인 소규모 토지 투자나 사업부지 선정 시에는 생각지도 못하게 변속차선이라는 문제에 부딪히기도 한다. 좋은 도로에 잘 접한 토지라 생각해 매매했지만 실제로는 변속차선의 설치 문제로 인해 원하는 목적의 개발행위나 건축을 할 수 없는 상황이 발생하기도 한다.

변속차선은 도로의 본선 차도에서 차량의 감속 또는 가속을 위해 설치되는 차선을 말한다. 고속도로 휴게소를 생각해보면 이해가 쉽다. 고속도로에서 휴게소로 진입할 때 안전을 위해 천천히 속도를 줄일 수 있는 구간, 반대로 휴게소에서 다시 고속도로로 진입할 때 어느 정도 속도를 내기 위한 구간에 변속차선을 설치한다.

보통 변속차선은 도시지역에서는 설치하지 않고 주로 비도시지역의 도로에 설치가 필요하다. 국도, 지방도는 2차선 이상의 경우, 시·군도는 4차선 이상으로 이루어져 있는 도로에서 설치하는 경우가 대부분이다. 원하는 목적으로 토지를 개발하는 데에 변속차선 설치가 필요한 토지인지 아닌지도 토지분석에 있어서 중요한 요소이다.

토지분석 시 변속차선 설치가 필요한 토지인지 확인했다면 변속차선의 길이와 설치 비용을 생각해야 한다. 만약 지방도 도로기준 5가구 이하의 주택을 목적으로 개발할 토지의 경우에는 간단한 공사를 통해 진입로를 개설할 수 있는 규정이 있으므로 큰 문제가 되지 않는다. 그러나 그 이상 규모의 개발 혹은 주택 이외 건축허가를 생각한다면 변속차선 개설에 따른 추가 공사와 비용에 대한 검토가 필요하다.

예를 들어 비도시지역 중 시·군도를 제외한 도로에서 주차 대수 10대 이하 판매시설 및 일반음식점 건축허가를 받아야 하는 상황에서는 변속차선의 종류 중 최소 길이 약 90m의 변속차선을 설치해야 한다. 만약 주차 대수가 늘어나거나 시설의 종류가 변경된다면 변속차선의 길이도 함께 늘어나게 된다.

변속차선 설치를 위해서는 별도의 설계와 공사가 필요하다. 건축허가를 받으려는 토지 내에 변속차선을 설치할 수 있다면 다행이지만 변속차선의 길이보다 토지의 길이가 짧다면 주변 토지를 확인해야 한다. 주변 토지가 국유지라면 점용 여부를 검토해야 하고, 개인 소유의 토지라면 토지사용승낙서를 받아 변속차선을 개설할 부지를 확보해야 한다.

이처럼 토지분석 시 변속차선이 필요하다면 목적에 맞는 변속차선 설치 길이를 확인하여, 이해관계인의 토지사용승낙서 없이 변속차로의 개설이 가능한지 검토해야 한다. 그리고 안전상의 문제로 모든 구간에 변속차선을 설치할 수 있는 것은 아니기에 토지와 접한 도로가 연결허가 금지구간인지를 확인하여 변속차로나 진입로 개설이 가능한지 최종 검토해야 한다.

현업 토목설계사와 공인중개사가 작정하고 만든
실패없는 토지분석

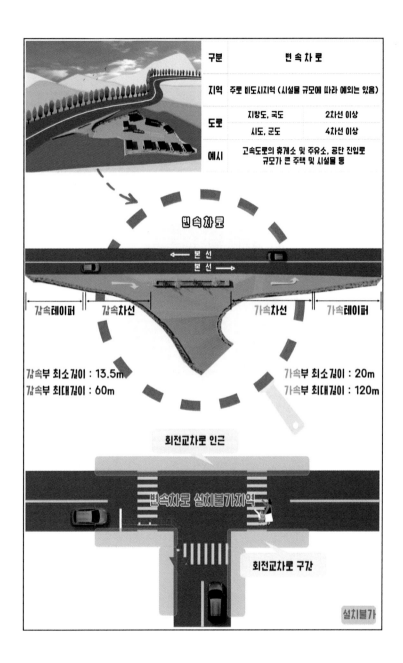

구분	변 속 차 로	
지역	주로 비도시지역 (시설물 규모에 따라 예외는 있음)	
도로	지방도, 국도	2차선 이상
	시도, 군도	4차선 이상
예시	고속도로의 휴게소 및 주유소, 공단 진입로 규모가 큰 주택 및 시설물 등	

변속차로

← 본 선
본 선 →

감속테이퍼 감속차선 가속차선 가속테이퍼

감속부 최소길이 : 13.5m
감속부 최대길이 : 60m

가속부 최소길이 : 20m
가속부 최대길이 : 120m

회전교차로 인근

변속차로 설치불가지역

회전교차로 구간

설치불가

자주 묻는 질문

Q : 변속차로 용도에 따라 길이가 다르다 하는데 변속차로의 길이를 확인할 방법이 있나요?

A : 아래표는 지방도 기준의 변속차로 규정이며, 도로마다 최소 길이, 최대길이 등 규정이 다르니 확인을 해야 합니다.
자세한 사항은 조례를 통해 현장확인과 사용 목적에 맞는 토목설계를 통해 정확한 길이와 폭을 알 수 있습니다.

변속차로의 최소길이(지구단위계획구역, 제2단계 집행계획 수립지의 제외)

(단위: 미터)

시 설	주차 대수 (가구 수)	감속부의 길이		가속부의 길이	
		감속차로	테이퍼	가속차로	테이퍼
라. 사도·농로·마을진입로 또는 그 밖에 이와 유사한 교통용 통로 등	-	20 (15)	10 (10)	40 (30)	20 (20)
마. 판매시설 및 일반 음식점 등	10대 이하	20 (15)	10 (10)	40 (30)	20 (20)
	11대 이상 30대 이하	30 (20)	10 (10)	60 (40)	20 (20)
	31대 이상	45 (30)	15 (10)	90 (65)	30 (20)
바. 주차장·건설기계주기장·운수시설·의료시설·운동시설·관람시설·집회시설 및 위락시설 등	30대 이하	30 (20)	10 (10)	60 (40)	20 (20)
	31대 이상	45 (30)	15 (10)	90 (65)	30 (20)
사. 공장·숙박시설·업무시설·근린생활시설 및 기타 시설	20대 이하	20 (15)	10 (10)	40 (30)	20 (20)
	21대 이상 30대 이하	30 (20)	10 (10)	60 (40)	20 (20)
	51대 이상	45 (30)	15 (10)	90 (65)	30 (20)
아. 주택 진입로 등	(5가구 이하)	도로모서리의 곡선화(곡선반지름: 3미터)			
	(100가구 이하)	30 (20)	10 (10)	60 (40)	20 (20)
	(101가구 이상)	45 (30)	15 (10)	90 (65)	30 (20)
자. 농어촌 소규모 시설(소규모 축사 또는 창고 및 태양광 발전시설 등)	-	도로 모서리의 곡선화(곡선반지름: 3미터)			

비고

1. 위 표는 4차로 이상 도로에 대한 기준이다. 다만, ( )는 2차로 도로에 대한 기준을 말한다.

2. 연결로가 인접되어 변속차로가 중복된 경우 중복된 차로의 길이는 주차 대수를 합산하여 그 합산된 주차 대수에 해당하는 길이로 하고, 주차 대수를 적용할 수 없는 시설물과 중복되는 경우에는 그 중 큰 값을 기준으로 한다.

3. 위 표 마목부터 사목까지의 주차 대수를 산정할 때에는 「주차장법 시행령」 별표 1의 설치기준에 따른다.

현업 토목설계사와 공인중개사가 작정하고 만든
실패없는 토지분석

자주 묻는 질문

Ⓠ : 변속차로 설치 불가한 곳도 있나요?

Ⓐ : 변속차로 설치 금지 구간 중 곡선도로 시 장애물까지 최소 거리, 터널 및 지하차도 시설, 교량시설물, 버스정차대, 주민 편의시설 등 통행에 위험이 발생 될 우려가 있는 구간은 대부분 금지됩니다. 해당 금지구간은 거리 및 이격거리 등 검토할 사항이 많습니다.

7. 도로분석 방법

< 실전에서 바로 써먹는 Case 별 핵심정리 >

지금까지 도로를 검토할 때 알아야 할 사항을 살펴보았지만, 단순히 글로써 모든 것을 설명하고 이해하기는 어렵다. 실제 현장에서는 다양한 사례들이 존재하기 때문이다. 실전에서의 이해를 돕고자 건축할 수 있는지, 토지사용승낙서가 필요한 토지인지를 사례별로 살펴보자.

보통 토지를 개발하거나 투자할 때는 이미 높은 지가가 형성되어 있는 도시지역보다 차후 수익실현이 가능한 지역에 대한 투자 혹은 전원주택지, 주말농장 등 여가 및 전원생활을 위한 비도시지역의 토지를 분석하는 경우가 더욱 많을 것이다.

또한, 법정도로보다는 주로 비도지역의 현황도로에 대한 검토가 필요할 것이다. 앞서 살펴본 내용과 같이 도시지역의 경우 대부분이 법정도로이며 도로 인프라가 잘 갖춰져 있어 토지와 도로와의 관계를 검토하는데 비교적 수월하다. 허나 도로 인프라가 부족한 비도지역은 현황도로를 통해 건축허가가 이루어지는 경우가 많을 수밖에 없다.

여기서 알아야 할 점은 비도시지역의 현황도로의 경우에 건축할 수 있는지의 판단은 지자체의 허가권자가 도로상황이나 조례 등을 고려하여 경정한다는 것이다. 즉, 전국에 모든 현황도로를 확인하여 인허가사례에 맞춰 정리할 수밖에 없다는 것이다.

그러므로 저자가 현업에서 일하고 있는 충남 지역의 지자체에서 일반적으로 인정하는 현황도로를 기준으로 설명하고 있으며,

현황도로의 해석은 지자체마다 다를 수 있어 설명하는 사례를 통해 해당 지역의 토목설계사무소나 지자체 개발허가 담당자를 통해 최종으로 확인하는 것이 도로를 분석하는 가장 확실한 방법일 것이다.

따라서 이 책에서 설명하고자 하는 도로의 검토 범위는 개인이 토지를 투자할 때 참고할 수 있는 일반적인 상황으로 사례별 요점정리를 살펴보며 도로 검토에 대한 안목을 키우도록 하자.

그림으로 보는 Case별 정리 1 (도로분석)

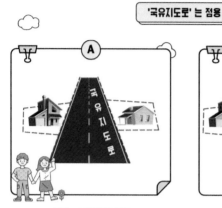

'국유지도로' 는 점용

A

B

지적선

도로는 '국유지도로'이며
두 곳 모두 포장부분에
지적이 접해있을 경우

도로는 '국유지도로'이며
우측부지(표 ✏시)는 포장되지않은부분에
지적이 접해있을 경우

요점정리 Note

A : 건축을 하기 위한 두 곳의 땅이 있다. 두 부지에 접하는 도로는 국유지로 지적경계에 붙어 있으며 도로 전체가 포장이 되어있어서 점용 받을 필요가 없다.

B : 건축을 하기 위한 두 곳의 땅이 있다. 두 부지에 접하는 도로는 국유지로 지적경계에 붙어있지만 도로 일부가 포장이 되어있지 않은 부분이 있어 포장된 도로와 붙어 있지 않은 부지는 점용을 받아 진입로 개설을 해야한다.

✦ : 국유지도로 포장이 되지 않은 부분은 점용을 받아 직접포장

그림으로 보는 Case별 정리 2 (도로분석)

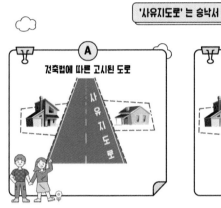

도로는 '사유지도로'이며
두 곳 모두 포장부분에
지적이 접해있을 경우

도로는 '사유지도로'이며
우측부지(표 시)는 포장되지않은부분에
지적이 접해있을 경우

A : 건축을 하기 위한 두 곳의 땅이 있다. 두 부지에 접하는 도로는 사유지(건축법에 따른 고시된 도로)로 지적경계에 붙어 있으며 도로 전체가 포장이 되어있어 토지승낙서를 받을 필요가 없다.

B : 건축을 하기 위한 두 곳의 땅이 있다. 두 부지에 접하는 도로는 사유지(건축법에 따른 고시된 도로)로 지적경계에 붙어있지만 도로 일부가 포장이 되어있지 않은 부분이 있어 포장된 도로와 붙어 있지 않은 부지는 토지승낙서를 받아 진입로 개설을 해야한다.

✦ : 사유지도로 포장이 되지 않은 부분은 토지승낙서를 받아 직접 포장

그림으로 보는 Case별 정리 3 (도로분석)

'인정되지 않은 도로' 는 '무조건'

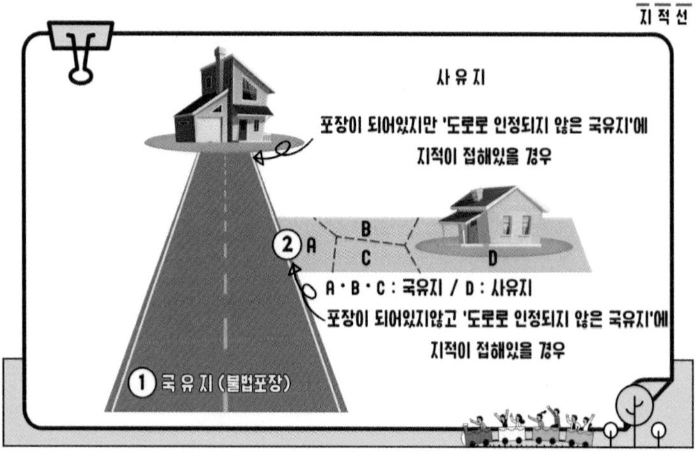

지 적 선

사 유 지

포장이 되어있지만 '도로로 인정되지 않은 국유지'에
지적이 접해있을 경우

② A   B
     C   D

A·B·C : 국유지 / D : 사유지

포장이 되어있지않고 '도로로 인정되지 않은 국유지'에
지적이 접해있을 경우

① 국 유 지 (불법포장)

요점정리 Note

① 국유지이지만 개인이 불법으로 포장하여 사용하는 도로 와

② 지목상 도로이며 국유지이지만 콘크리트 및 아스콘 포장이 되지

않은 비포장 길은 '무조건' 점용을 받아야한다.

�: 국유지여도 점용을 받아 합법적으로 포장 !

    지목상 도로인 국유지더라도 포장이 되지 않은 상태라면 점용

    을 받아 포장 !

    점용 받아 포장을 해야만 (인정된)'도로'로서의 가치를 지님

    ※ 지자체마다 상이 할 수 있음 (지자체 문의 필요)

현업 토목설계사와 공인중개사가 작정하고 만든
실패없는 토지분석

8. 배수로

< 물이 흐르는 길이 없어도 맹지! - Case 별 핵심정리 >

건축허가에서 도로만큼이나 중요하게 검토해야 할 것이 배수로이다. 도로가 사람이나 자동차가 다니는 길이라면 배수로는 물이 흐르는 길이다. 길이 없는 토지를 맹지라고 한다면 물길을 확보하지 못했다는 것은 도로를 확보하지 못했다는 것만큼 중요한 문제이다.

건축허가 가능 여부를 가늠해 보기 위해서는 배수의 종류별로 어떤 형태인지 확인해 볼 필요가 있다. 일상생활에서 사용되고 버려지는 더러운 물을 하수 또는 오수라고 하고 빗물은 우수라고 한다. 이러한 물은 섞이지 않게 모아서 배수로를 통해 버려지게 되는데 도시지역 대부분은 관로로 공공의 오수관과 우수관이 있으며, 오수관과 우수관 시설이 없는 시골 마을 및 도로공간이 협소한 지역은 인근에 설치된 배수로를 통해 하천으로 흘러간다.

공공의 오수관과 우수관은 대부분 도로의 지하에 매설되어 있고 각각의 오수관과 우수관에 인입 후 배수한다. 그리고 연결된 관로를 관리하기 위해 맨홀을 만들어 놓는데, 맨홀 모양으로 오수관과 우수관을 구분할 수 있다. 분석하는 토지에 맨홀이 있을 경우 각각의 관로가 존재하는지 확인할 수 있다. 만약 오수관만 존재할 경우 우수를 배수할 수 있는 다른 배수로가 있는지 확인해야 한다.

앞서 말한 것과 같이 오수와 우수는 각각 배출되어야 하며 오수관에 우수관을 인입하는 것은 폭우 시 하수가 역류하는 등의 문제로 건축허가를 받을 수 없기 때문이다.

공공우수관, 하수관을 사용 (도 · 시에서 설치한 관로)

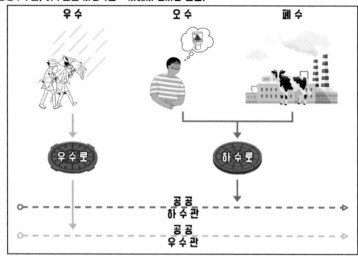

우수맨홀 / 오수맨홀 비교

우수맨홀

오수맨홀

현업 토목설계사와 공인중개사가 작정하고 만든
실패없는 토지분석

그 외의 경우에는 하천이나 구거를 통해 직접 배수하거나, 지목이 구거가 아니더라도 배수로를 만들거나, 원통형 흄관 · U자형 플륨관 등을 매설해 배수로를 만들어 최종 방류지까지 오수와 우수를 구분하지 않고 동시에 배수한다.

비도시지역에서는 지적의 모양이 정리되어 있지 않고 계획적으로 개발되어있지 않아 배수로가 도로의 지하에 매설되어 있기도 하지만 도로 옆이나 농지 옆으로 이어지는 경우가 있고 심지어 타인의 농지로 이어지는 상황도 있다. 따라서 중간에 물길이 끊기지 않고 최종 방류지까지 연결되어 있는지 확인하는 것이 중요하다.

배수로 사용 (도 · 시 관로가 없을 경우)

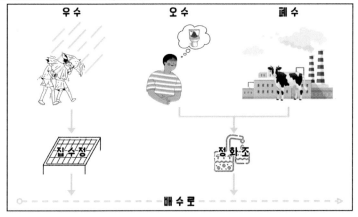

그리고 배수로 검토 시 중요한 사항은 아주 당연한 이야기지만 물은 위에서 아래로 흐른다는 것이다. 즉 토지가 배수로보다 낮은 경우 원활한 배수를 위해 건축할 면적이나 토지 전체를 성토해야 할 상황이 발생하는데 이때의 비용까지 토지분석 시 함께 검토해야 한다.

마지막으로 배수로에서 가장 중요한 핵심은 타인의 토지를 통하지 않고 직접 배수로를 확보할 수 있는지의 문제이다. 앞서 타인의 토지는 토지사용승낙서를 받고 국유지는 어떠한 행위를 할 때 점용을 해야 한다고 살펴보았다. 배수로도 마찬가지로 타인의 토지에 배수로를 만들거나 타인 토지를 통과하는 공사를 한다면 토지사용승낙서가 필요하고, 국유지를 통해 공사히여 연결해야 한다면 점용을 하여 배수로를 확보해야 한다.

이처럼 배수로를 확보하는 것은 인허가 가능여부와 직결되며, 배수로를 개설하는 비용 또한 만만치 않으므로 확실한 검토가 필요하다.

현업 토목설계사와 공인중개사가 작정하고 만든
실패없는 토지분석

그림으로 보는 Case별 정리 1 (배수로)

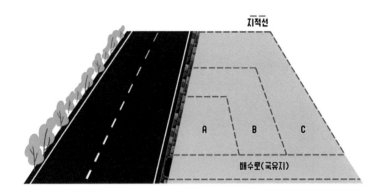

배수동의서가 필요없는 경우

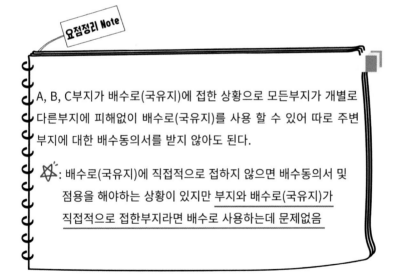

요점정리 Note

A, B, C부지가 배수로(국유지)에 접한 상황으로 모든부지가 개별로 다른부지에 피해없이 배수로(국유지)를 사용 할 수 있어 따로 주변 부지에 대한 배수동의서를 받지 않아도 된다.

☆ : 배수로(국유지)에 직접적으로 접하지 않으면 배수동의서 및 점용을 해야하는 상황이 있지만 부지와 배수로(국유지)가 직접적으로 접한부지라면 배수로 사용하는데 문제없음

그림으로 보는 Case별 정리 2 (배수로)

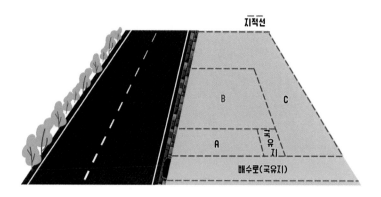

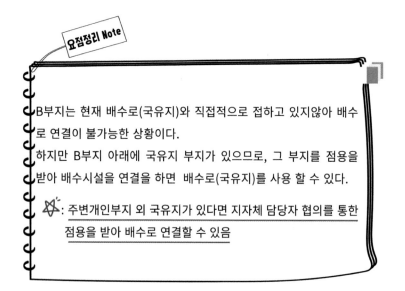

B부지는 현재 배수로(국유지)와 직접적으로 접하고 있지않아 배수로 연결이 불가능한 상황이다.

하지만 B부지 아래에 국유지 부지가 있으므로, 그 부지를 점용을 받아 배수시설을 연결을 하면 배수로(국유지)를 사용 할 수 있다.

★ : 주변개인부지 외 국유지가 있다면 지자체 담당자 협의를 통한 점용을 받아 배수로 연결할 수 있음

그림으로 보는 Case별 정리 3 (배수로)

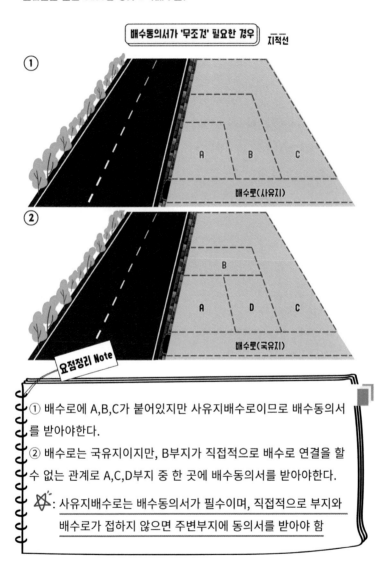

① 배수로에 A,B,C가 붙어있지만 사유지배수로이므로 배수동의서를 받아야한다.

② 배수로는 국유지이지만, B부지가 직접적으로 배수로 연결을 할 수 없는 관계로 A,C,D부지 중 한 곳에 배수동의서를 받아야한다.

★ : 사유지배수로는 배수동의서가 필수이며, 직접적으로 부지와 배수로가 접하지 않으면 주변부지에 동의서를 받아야 함

8. 전기 및 수도
< 생활에 필요한 필수조건 >

시골에 농사지을 땅이나 전원생활을 목적으로 하는 토지를 찾는다면 전기와 상수도에 대해서 검토가 필요하다. 전기와 상수도가 원활하게 해결되지 않는다면 생활하는 데 불편함이 따를 수밖에 없다. 지친 몸과 마음을 치유하기 위한 전원생활이 더 큰 스트레스로 다가올 수도 있기 때문이다.

도시지역에서는 전기와 수도에 대한 문제는 크게 없겠지만 기반시설이 잘 갖춰지지 않은 지역의 토지를 분석할 때에는 꼼꼼히 검토해 보는 것이 좋다.

새로운 건물이나 주택에 전기를 공급할 때, 보통 전봇대에서 공중으로 200m의 거리 기준으로 설치 비용이 발생한다. 인터넷으로 지도를 검색하면 전기가 인입된 토지의 경우 별도의 표시가 되어 있고 로드뷰를 통해 전봇대 위치를 확인할 수 있기 때문에, 분석하는 토지의 지역이 전기가 잘 공급되는 지역인지, 전기 설치 공사비용이 크게 소요되지는 않는지 고려해봐야 한다.

한편 분석하는 토지의 여건에 따라 상수도의 종류와 설치 비용을 고려해야 한다. 상수도의 종류에는 광역 상수도, 마을 상수도, 지하수가 있다.

첫번째로 광역 상수도는 일반적으로 도시지역에 공급되는 수돗물로 균일한 수질관리와 안정으로 공급되는 장점이 있다. 시골에는 공급되지 않는 지역이 많아 마을 상수도와 연결할 수 있는지 여부, 인입 비용을 확인해보는 것이 좋다.

두번째로 마을 상수도는 마을에서 지하수나 계곡물 등을 공동으로 개발하여 관리하거나 지자체에서 함께 관리하기도 하여 비교적 양호한 수질로 공급되며 저렴한 수도요금으로 사용할 수 있다.

마지막으로 광역 상수도나 마을 상수도를 연결할 수 없다면 지하수를 검토할 수 있다. 굴착 지름과 깊이에 따라 수질과 수량이 달라질 수 있으며 별도의 수질관리나 지하수를 사용하기 위한 관정이라는 시설물이 필요하다. 지하수를 이용하는 관정은 별도의 사용요금이 발생하지 않고, 수량이 풍부하다면 생활용수와 농업용수로 겸하여 사용할 수 있기 때문에 지하수도 좋은 선택지가 될 수 있다.

실패없는 토지분석과

성공적인 토지투자를 바라며..

04 토지 유형 별 검토사항

⟨당신이 생각하는 토지를 찾기 위한 꿀 Tip 대방출!⟩

1. 농지분석 방법

< 실패는 없다! 분석부터 매매 주의사항까지 >

농지는 경작이나 농업을 경영하기 위하여 사용하는 토지를 말한다. 넓은 의미에서는 지목을 불문하고 실제로 농사를 짓는 토지나 농사와 관련된 토지까지 포함할 수 있으나 여기서 다룰 내용은 지목이 전·답·과수원인 토지이다. 앞서 살펴본 바와 같이 입지, 용도지역, 도로 및 배수로 등의 개발이 가능한지 등 기본적인 사항과 매매 시 주의사항을 살펴보자.

먼저 개발이 가능한지를 분석할 때는 경지정리가 된 농지인지를 확인해 봐야 한다. 경지정리란 경작하기 쉽게 토지를 정리 기반·조성해 놓은 농지로 토지 모양이 보통 사각형으로 반듯하다. 도로와 배수시설이 잘 되어 있어 개발행위나 건축허가에 문제가 없을 것으로 생각할 수 있지만, 실상은 그와 반대로 개발행위나 건축허가가 어렵다.

경지정리 된 농지는 중장기적으로 농업의 효율성과 생산성 증대를 위해 시간과 비용을 투자하여 집단화된 농지로 특화하여 개발한 토지이다. 농업과 관련된 개발행위나 건축허가 이외에는 다른 용도로 사용이 어렵다. 또한, 농림지역이 아닌 관리지역의 토지라 할지라도 경지정리가 된 농지라면 허가를 담당하는 지자체나 담당자의 재량에 의해 달라질 수는 있지만, 일반적으로 농업과 관련되지 않은 용도의 허가는 어려울 수 있다.

농림지역의 토지분석 시 농업진흥구역인지, 농업보호구역인지에 따라 행위 제한이 다른 점도 살펴봐야 한다.

농업진흥구역은 우리가 흔히 말하는 절대농지로 농업에 직접 관련된 행위와 농막이나 농업인 주택의 설치 등 제한적인 행위가 가능하다.

농업보호구역에서는 일반인도 주택을 지을 수 있고 근린생활시설 개발도 부분적으로 가능하다. 이처럼 농업보호구역에서 가능한 개발행위를 활용하여 목적에 맞게 사용할 수 있다면 비교적 적은 비용으로 농림지역의 토지를 효율적으로 이용할 수 있을 것이다.

다음으로 농지를 매매할 때 주의해야 할 사항은 농지는 다른 지목과 달리 농지취득자격증명을 발급받아야 한다는 것이다. 농지취득자격증명을 발급받기 위해서는 농지를 취득하려는 자가 농업, 체험영농 등을 위해 신청해야 하며 발급처의 확인 절차가 필요하다. 지자체는 농업경영계획서, 주말·체험영농계획서 등을 확인하고, 투기 목적으로 취득하는 것은 아닌지 검토하여 발급한다. 특히 반려 사유의 대부분은 불법으로 토지 형질변경을 하거나 토지를 훼손한 경우가 많으므로 매매 시 토지에 문제가 없는지 사전 검토가 꼭 필요하다.

예를 들어 농지에 무허가 건물, 신고되지 않은 농막, 불법 구조물 등이 설치되어 있거나 바닥에 잡석, 시멘트 등으로 포장되어 있는 경우, 수풀이 무성한 전이나 답의 경우에도 농지가 농사의 목적으로 사용되지 않는 것으로 보기 때문에, 이럴 때는 원상복구 후 농지취득자격증명을 발급받을 수 있다. 매매할 토지에 농지의 목적과 다른 것이 설치되어 있다면 반드시 원상복구에 대한 협의 후 매매하는 것이 좋다.

그리고 농지를 취득한 이후의 권리 사항에 대해서도 생각해야 한다. 농지에 식재된 농작물이 있는 경우, 보통 기간을 정해 현재 심어진 농작물까지만 수확하기로 하는 경우가 많다. 하지만 수목이나 다년생식물은 계속해서 수확할 수 있기 때문에 수목이나 다년생식물의 소유권과 토지의 소유권은 별개의 문제로 본다. 이러한 수목이나 다년생식물은 토지소유자가 임의로 제거할 수 없으므로 사전 제거나 승계 등 협의가 필요하다.

또한, 건축을 위해 농지전용허가를 받았지만 매매 할 때는 허가를 취소하거나 승계하는 등의 협의가 필요하며 농지에 임대차가 있는 경우 매수인은 기존의 임대인에 지위까지 승계한 것으로 보기 때문에 토지사용에 문제가 생길 수 있어 확인해보는 것이 좋다.

아울러 매매할 때는 우려가 되는 부분을 먼저 예상하고 필요하면 계약서 특약에 기재하여 혹시 모를 분쟁에 대비하는 것이 안전하게 토지를 매매하는 방법일 것이다.

경지정리된 부지

"경지정리 됐다" 라는 표현은 바둑판 모양의 농지를 말함.

주로, 농업진흥구역에서 볼 수 있지만 생산관리 등 다른 관리 지역에서도 볼 수 있음.

* 경지정리 = 바둑판 모양 농지 *   * 바둑판 모양 농지 = 농업진흥구역 *

농업진흥지역

농업진흥구역

농업의 진흥을 도모하기 위한 지역
농업의 목적으로만 사용 가능
'농업인주택' 가능

농업보호구역

농업 환경을 보호하기 위한 지역
(진흥구역 용수원 확보 및 수질보전)
'단독주택' 가능

건물용도	농업진흥지역의 허용가능 여부	
	농업진흥구역	농업보호구역
단독주택	660㎡이하(농업인주택)	1,000 ㎡미만
제1종 근린생활시설	제한(농업과 관련된 일부시설 허용)	1,000㎡이상 ~ 3,000㎡미만 (일부시설제한)
제2종 근린생활시설	제한	1,000 ㎡미만
관광농원	제한	20,000㎡이하
주말농원	제한	3,000 ㎡이하

자주 묻는 질문

Q : 농업진흥구역인 토지가 있습니다. 농업인주택은 농사만 지으면 가능한가요?

A : 농업인주택은 농촌에 있는 주택으로 생각하면 안됩니다. 농업인주택은 농업인의 대상 조건이 맞아야만 가능합니다. 농업인의 조건은 인터넷에 농업인자격을 검색하시면 손쉽게 확인할 수 있습니다.

Q : 농업인주택을 지을 수 있는 조건을 갖춘 농업인입니다. 농업진흥구역 외 다른 용도지역에 농업인주택이 가능한가요? 또한 농업인주택 시 차후 매매 할 수 있나요?

A : 농업진흥구역의 농업인주택은 농업인 조건이 되는 사람만 매매를 할 수 있습니다. 하지만 농업진흥구역 외 지역에서 농업인주택을 짓고 5년이 지나면 일반주택으로 사용할 수 있어서 일반인에게 매매나 임대가 가능합니다.

현업 토목설계사와 공인중개사가 작정하고 만든
실패없는 토지분석

자주 묻는 질문

ⓠ : 현재 지목이 '답'인데 '전'으로 지목을 바꿀 수 있나요?

ⓐ : 같은 농지로 분류되는 전, 답은 지목을 바꿀 수 있습니다. 하지만 무조건 변경이 되는 사항은 아닙니다. 현재 농사의 행위가 변경하고 싶은 지목(전 또는 답)과 동일하면 대부분 가능합니다.

　예) 지목'전'이지만 밭농사 중인 토지 : '전'→'답' 가능
　　　지목'전'이지만 논농사 중인 토지 : '전'→'답' 불가능

ⓠ : 농지를 1m정도 성토하여 농사를 하려는데 개발행위허가를 받아야 할까요?

ⓐ : 개발행위허가 운영지침 제56조(개발행위허가의 기준)에 2m 이상의 절토 및 성토가 수반되는 경우 개발행위허가를 받는 규정이 있습니다. 농사를 위한 2m 이하의 절·성토 는 받을 필요 없으나 지자체 조례마다 다를 수 있습니다.

2. 임야 분석방법

< 어려운 임야분석!? 이 정도만 알아도 충분하다. >

임야의 평당가격은 농지보다 저렴하지만 큰 면적 단위로 거래되기 때문에 전체 매매금액은 높은 편이며, 면적이 큰 만큼 토지를 분석하기 어렵다. 또한, 임야 개발에 대한 규제나 제한이 많다. 그런데도 임야에 관심을 두는 이유는 산지전용허가를 받아 개발하여 전원주택단지나 공장 등 다양한 건물을 짓는다면 임야의 가치가 크게 상승하기 때문이다.

결국, 임야는 좋은 입지인가도 검토해야 하지만 개발 가능 여부가 핵심이다. 앞서 보전산지외 준보전산지에서 알아보았다. 보전산지는 개발행위가 어려움을 잘 기억해야 한다. 또한, 기본적으로 진입로와 배수로 확보가 가능한지 검토해야 하며 추가로 산지에서 검토해야 할 사항을 살펴보자.

첫 번째는 토지가 얼마나 가파른지 정도를 나타내는 경사도를 알아야 한다. 그림으로 살펴보겠지만 산지전용허가를 위해서는 평균경사도를 알아야 한다. 산지전용허가 기준 평균경사도는 지자체마다 다르기 때문에 꼭 확인이 필요하다. 보통은 평균경사도 25도 이하인 면적에 대해 산지전용허가를 신청할 수 있다.

하지만 평균경사도가 25도 이하여도 산지전용허가 신청을 할 수 없는 경우가 있다. 25도를 넘는 비율이 40% 이상이면 허가할 수 없으므로 평균경사도를 꼭 확인해 볼 필요가 있다. 그뿐만 아니라 평균경사도 기준에 부합하더라도 허가담당자가 해당 임야가 위험성이 너무 많다고 판단하면 허가가 불가할 수 있다.

두 번째는 표고를 살펴보아야 한다. 표고는 '산자락 하단부'를 기준으로 한 산의 높이를 말하는 것으로 지면으로부터 토지가 얼마나 높은 곳에 있는지를 나타낸다. 이에 따라 산지전용허가 시 개발부지의 표고를 확인해야 한다. 개발부지의 표고는 해당산지의 표고 50% 미만에 해당하는 위치만 산지전용허가 신청이 가능하다. 하지만 해당산지의 표고 50% 이상에 해당해도 산지전용허가가 가능한 규정이 있다. 해당 산지의 표고가 100m 미만인 경우나 평균 해수면을 기준으로 하는 해발고가 300m 미만의 산지인 경우에는 개발부지가 산지의 어느 위치에 있더라도 산지전용허가를 신청할 수 있다.

그리고 평균경사도와 기준표고를 확인하면서 개발을 위한 토목공사 비용도 함께 생각해보는 것이 좋다. 개발이 가능하지만, 공사비용이 막대하여 비효율적이라면 개발에 의미가 없어지기 때문이다.

예를 들어 임야의 개발행위는 산을 깎아서 평지를 만들고 그곳에 건물을 짓는 것이라고 할 때 표고가 높고 경사도가 급하다면 여러 문제가 발생한다. 경사가 높아 계단식 공사를 하면 공사비용이 증가할 뿐 아니라 평지로 만들 수 있는 면적이 줄어들고, 진입로 개설 시 경사도로 인해 최단 거리로 만들 수 없는 상황이 발생한다면 그 또한 공사비용 증가와 실제 사용 면적의 감소로 이어질 수 있다.

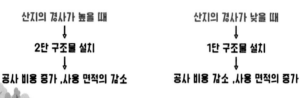

산지에 평지 확보를 위한 고려사항

1. 구조물 설치
   (구조물 제한높이 존재)
2. 경사확인
   (경사가 완만하고 높이차가 적은곳이 유리)
3. 효율적인 계획 수립

산지의 경사가 높을 때
↓
2단 구조물 설치
↓
공사 비용 증가 ,사용 면적의 감소

산지의 경사가 낮을 때
↓
1단 구조물 설치
↓
공사 비용 감소 ,사용 면적의 증가

현업 토목설계사와 공인중개사가 작정하고 만든
실패없는 토지분석

표 고 : '산자락하단부'를 기준으로 한 높이
해발고 : '해수면 높이의 평균값'을 기준으로 삼아 높이를 구한 값(평균해수면)

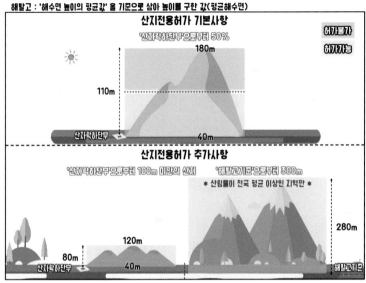

산지전용허가 기본사항
'산자락하단부'으로부터 50%

180m

110m

산자락하단부   40m

허가불가
허가가능

산지전용허가 추가사항
'산자락하단부'으로부터 100m 미만의 산지   '해발고기준으로부터 300m
※ 산림률이 전국 평균 이상인 지역만 ※

280m

120m

80m

산자락하단부   40m   해발고기준

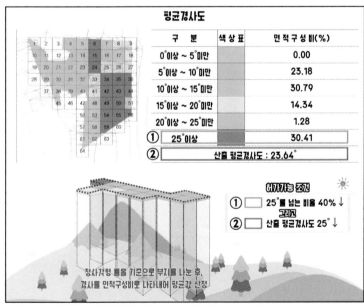

평균경사도

구 분	색 상 표	면 적 구 성 비(%)
0˚이상 ~ 5˚미만		0.00
5˚이상 ~ 10˚미만		23.18
10˚이상 ~ 15˚미만		30.79
15˚이상 ~ 20˚미만		14.34
20˚이상 ~ 25˚미만		1.28
① 25˚이상		30.41
② 산출 평균경사도 : 23.64˚		

허가가능 조건
① □ 25˚를 넘는 비율 40% ↓
그리고
② □ 산출 평균경사도 25˚ ↓

정사각형 틀을 기준으로 부지를 나눈 후,
경사를 면적구성비로 나타내어 평균값 산정

세 번째로 나무가 많은지도 검토해 봐야 한다. 산지전용허가에는 경사도와 표고 이외에도 입목축적의 기준이 있다. 입목축적이란 일정 면적에 나무의 총 부피이다. 얼마나 나무가 많은지, 50년생 이상의 활엽수의 비율이 50% 이하인지, 식재된 나무의 종류가 무엇인지 등이 허가 시 검토 대상이다. 산지전용허가 이후 개발할 때도 나무가 많다면 벌목하고 나무의 뿌리까지 제거 후에 개발해야 하는 까다로움이 있고 공사비용도 그만큼 증가하기 때문에 입목축적을 잘 살펴보아야 한다.

마지막으로 임야 내에 묘지가 있는지 확인해야 한다. 매매 시 토지 소유주에게 분묘 여부를 확인하고, 분묘가 있을 시 이장해준다는 것을 계약서 특약에 포함하는 것이 안전하다. 토지 인에 무덤이 있다면 토지소유자라 할지라도 마음대로 옮길 수 없고, 옮길 수 있다고 해도 그 절차가 매우 까다롭기 때문이다.

추가로 임야의 방향이 어떠한지, 암석이나 바위 등이 많은지도 검토해 보는 것도 좋다. 북향의 경우 남향이 경사지가 되면 햇빛이 잘 들지 않는 상황이 발생할 수 있고, 암석이나 바위가 많은 임야 또한 공사하기에 어려움이 많기 때문이다.

임야는 분석해야 할 면적이 넓고, 확인해야 할 사항이 많으므로 더욱 꼼꼼히 확인해야 한다.

또한, 수풀이 무성한 여름에는 실제로 경계나 현황을 살펴보기 어려울 수 있어, 이럴 경우에는 '임업정보다드림'이라는 인터넷 사이트를 참고하면 임야의 대략적인 정보를 편리하게 확인할 수 있다.

현업 토목설계사와 공인중개사가 작정하고 만든
실패없는 토지분석

아울러 "임업정보다드림"에서는 경사도뿐만 아니라 좀 더 세부적으로 지도의 등고선도 볼 수 있으며 국토부의 "국토환경성평가지도" 사이트 또한 경사도를 확인할 수 있다.

묘지의 경우에는 인터넷의 위성지도를 통해 대략 파악할 수 있는데, 위성지도가 여름에 촬영하여 수풀로 인해 구분하기 어렵다면 다른 연도의 자료를 비교하며 분석하는 것이 좋다.

입목본수도 : 산에 심어져 있는 나무 수를 백분율로 표기한 것

시, 군	입목본수도	평균경사도°
서울	51% 미만(녹지지역41%)	21° 미만 [녹지지역 15°]
부산	70% 미만	18° 미만
대전	50% 미만(녹지지역4%)	16.6° 미만
대구	40% 이하	16.6° 이하
광주	50% 미만	10° 미만 (이상 도시계획위원회 심의)
울산	70% 미만	18° 미만
인천	50% 미만	16.6° 미만

자주 묻는 질문

Q : 임야 개발을 위한 진·출입로를 개설해야합니다.
진·출입로 개설 시 진입로 경사 제한이 있나요?

A : 진·출입로 개설 시 도로 폭 뿐만 아니라 경사도도 봐야
합니다. 경사도가 넘으면 차량 운행 간 위험성이 있어 실
제 허가가 가능한 경사각 이하로 검토하는 것이 좋습니다.

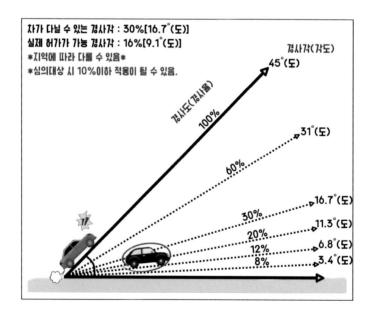

자주 묻는 질문

Q : 산지전용허가로 진·출입로를 개설해야합니다.
진·출입로 개설 시 길이 제한이 있나요?

A : 진·출입로 개설은 50m가 넘으면 심의대상이 됩니다.
진·출입로 길이를 확인하는 것이 좋습니다. 난개발을 막기 위해 부지면적에 비례하여 진·출입로 길이와 폭이 과하다 판단되면 허가 제한이 있을 수 있습니다.

Q : 산지전용허가 시 부지는 준보전산지지만 진·출입로 개설부분이 보전산지가 포함 될 경우 진·출입로 개설이 가능한가요?

A : 현황도로(건축법에 따른 고시된 도로, 마을도로 등)에 연결되는 진·출입로 개설 시 보전산지가 포함되면 진·출입로개설 할 수 없습니다. 하지만 법정도로에 연결되는 진·출입로 개설은 가능하여 도로의 종류 확인이 필요합니다.

자주 묻는 질문

Q : 산림률이 전국 평균 이상인 지역만 해발고 기준 300m는 산지전용허가 예외 규정이라 봤는데, 산림률을 확인 할 수 있는 방법이 있을까요?

A : '산림임업통계플랫폼'에 들어가보면 전국 기준이 있습니다. 또한 지역을 선택하여 지역 국토면적 및 산림면적을 확인 할 수 있습니다.

산림률 : 산림면적 ÷ 국토면적 ×100

현업 토목설계사와 공인중개사가 작정하고 만든
실패없는 토지분석

자주 묻는 질문

Ⓠ : 임야 개발면적이 크면 재해영향평가를 받는 것으로 알고
　　있습니다. 사전 검토를 미리 받아 확인 할 수 있는 방법이
　　있을까요?

Ⓐ : '국토환경성평가지도'를 들어가 국토환경성 평가등급 분석
　　에 소재지를 입력하면 알 수 있습니다.
　　평가등급은 1등급이면 개발제한이 있을 수 있습니다.

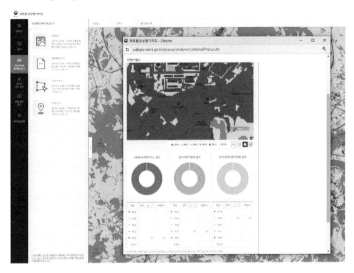

3. 전원주택 단지
< 대지조성사업 VS 개발행위허가 선택기준 >

전원주택을 생각한다면 크게 원형지에 직접 단독주택을 건축하는 방법과 토목공사가 완료된 전원주택단지 내의 토지를 매매하여 주택을 건축하는 방법이 있을 것이다. 이 중 여러 고민 없이 바로 주택을 지을 수 있는 전원주택단지를 선호한다면 전원주택단지가 어떤 방법으로 개발되었는지 확인하는 것도 차후 토지이용에 큰 도움이 될 것이다. 전원주택단지는 보통 대지조성사업 또는 개발행위허가를 통해 만들어지는데 두 방법을 비교하면 아래의 표와 같다.

구 분	대지조성사업	개발행위허가
적용법령	주택법 (사업계획승인대상)	건축법 (농지전용허가, 산지전용허가, 개발행위허가)
대상면적	30세대 이상 공동주택 또는 30호 이상 단독주택 (1만㎡이상 대지조성사업)	용도지역에 따른 개발행위허가 면적 기준
기반공사	상하수도, 전기, 가스 등 지중화 작업	기본적인 상수도, 전기공사 등
도 로	일반적으로 지자체 기부체납	토지 소유자 간 공유지분으로 보유
단지조성	내부 6m도로(자동차 교행가능) 인도(가로등), 주거환경 조성 등	건축허가 시 충족하는 조건 + 시행사 재량
지목변경	지목 '대'로 변경되어 분양	건축물 준공 완료 시 지목 '대'로 변경
개발부담금	지목 변경 시 시행사 부담	지목 변경 시 토지 소유주 부담
건축기한	제한없음	건축허가(최장 2년) 내 착공 의무

표와 같이 전원주택단지도 어떤 방법으로 조성되었느냐에 따라 큰 차이를 보이며 다른 법령을 적용받는 점에서 토지이용 방법에 대한 접근도 다르게 생각해 볼 수 있다.

대지조성사업은 주택법을 적용받는 사업승인대상으로 개발행위를 통한 전원주택단지보다 절차가 복잡하다. 개발행위허가와 비교하면 규모가 크고 공사비용이 소요되는 사업으로 지목변경 후에 분양하는 방법인 만큼 차후 건축 시 개발행위부담금이 없다. 또한, 개발행위허가를 통해 조성된 단지보다 단지 내 주거 환경은 좋을 수 있지만 그만큼 가격이 비싼 것이 일반적이다.

반면 개발행위허가를 통한 전원주택단지는 건축법을 적용받는다. 대지조성사업보다 개발 규모나 방법이 자유로워 택지지구와 같이 일률적으로 개발된 토지와 달리 주변 환경을 고려하여 자연친화적으로 개발하거나 시행사의 상황에 맞춰 개발할 수 있다. 근린생활시설이나 다른 용도로 요건이 충족한다면 다양한 방법으로 토지를 이용할 수 있고 대지조성사업을 통해 조성된 전원주택단지보다 가격이 저렴한 것이 일반적이다.

개발방식에 따라 장단점이 있는 만큼 전원주택단지 사업을 계획하고 있거나 분양하는 토지를 알아보고 있다면 상황에 맞춰 비교하며 검토해 보는 것이 좋다.

4. 야영장
< 복잡한 야영장 허가기준 한 번에 해결! >

캠핑을 즐기는 인구는 꾸준히 늘고 있고, 캠핑을 좋아하는 사람이라면 한 번쯤 야영장 사업을 생각해봤을 것이다. 실제로 야영장을 운영하기 위해 토지를 찾는 사람 중에 산 좋고 물 좋은 토지에만 집중해 중요한 것을 잊어버리는 경우가 많다. 캠핑하기 좋은 곳을 찾는 것도 중요하지만 생각한 목적으로 야영장을 운영할 수 있는 부지를 찾는 것이 중요하다.

사람들은 보통 캠핑장으로 많이 부르지만 정식 명칭은 야영장업이라고 한다. 직접 텐트를 치는 캠핑장, 시설이 갖춰져 있어 몸만 가서 즐기면 되는 글램핑장, 카라반에서 즐기는 캠핑 등의 정식 명칭은 야영장업이다. 적용받는 법에 따라 구분하면 관광진흥법상 야영장업으로 일반적인 캠핑장, 글램핑장, 카라반 야영장 등이 있으며, 산림휴양법상 숲속야영장이 있다.

한편 야영장업과 관련하여 필요한 정보는 문화체육관광부에서 발간한 '야영장업 지자체 업무매뉴얼'을 통해 확인할 수 있다. 야영장업 관계 법령, 등록 절차, 심사 기준 등이 상세히 나와 있으니 야영장 허가를 준비할 때 꼭 알아두자. 이해하기 쉽도록 본책에 야영장업 기준, 용도지역 가능 여부, 사업자 등록 시 제출 서류 등을 표로 정리해두었으니, 참고하자.

야영장업 기준			
구 분	일반 야영장업	자동차 야영장업	비 고
공통 기준	용도지역 및 농지, 산지기준에 맞는 면적을 확보 건축물의 바닥면적 합계가 300㎡미만 건축물의 바닥면적 합계가 전체면적의 1/10 미만 소화기 천막2개소(100㎡)마다 1개 이상 설치 대피소와 대피로를 확보 상주 관리요원 확보 시설배치도, 사용방법, 행동요령을 이용객이 잘 볼 수 있는 곳에 위치		야영장업 기준은 야영장업 지자체 업무매뉴얼 참고 (세부사항으로 야영장시설 및 화재시설 안전, 위생기준 등 확인)
개별 기준 규 모	야영용 천막을 칠 수 있는 공간을 천막 1개당 15㎡ 이상을 확보 텐트 간 이격거리 6m 이상 확보 (글램핑, 카라반 이격거리 3m이상)	차량 1대당 50㎡ 이상의 야영공간 확보	
시 설	하수도 시설 및 화장실 갖출 것	불편이 없도록 수용인원에 적합한 상하수도 시설, 전기시설, 화장실 및 취사시설 갖출 것	
진 입 로	관광진흥법에 진입로 규정이 있으나, 지자체 규정과 상이하여 확인 필요 (인허가를 위한 진입로 허가조건 및 심의조건에 필요한 사항) 1. 개발행위 면적에 따른 도로폭 확보 2. 긴급상황 발생 시 차량통행 확보를 위해 교행 가능한 구간 확보		

지자체 마다 규정이 다른부분으로 조례 확인 필수

야영장업 용도지역 가능여부

용도지역		면적(㎡)		가능여부
		임야	농지	
도시지역 (녹지지역)	보전녹지지역	5,000㎡미만	5,000㎡미만	조례확인필요
	생산녹지지역	10,000㎡미만	10,000㎡미만	○
	자연녹지지역	10,000㎡미만	10,000㎡미만	○
관리지역	보전관리지역	10,000㎡미만	3,000㎡미만	조례확인필요
	생산관리지역	30,000㎡미만	3,000㎡미만	조례확인필요
	계획관리지역	30,000㎡미만	30,000㎡미만	○
농림지역		30,000㎡미만	30,000㎡미만	조례확인필요
자연환경보전지역				×

1. 야영장 가능여부, 면적 조례확인
2. 농림지역에 가능한 숲속야영장 기준 제외(숲속야영장 규정 확인)
3. 농림지역 중 농업진흥구역, 보전산지 또는 초지인 경우 농지법, 산지관리법, 초지법에서
   정한 규정에 따라야함 (지자체문의)
4. 보전녹지지역은 관광진흥법과 개발행위에 따른 면적다르므로 확인
5. 도시지역 중 주거, 상업, 공업지역 가능여부는 야영장업 지자체 업무매뉴얼 확인

지자체 마다 규정이 다른부분으로 조례 확인 필수

현업 토목설계사와 공인중개사가 작정하고 만든
실패없는 토지분석

야영장 사업자등록 시 제출서류

1. 관광사업 등록신청서 – 관광진흥법 시행규칙 별지 제1호 서식

2. 사업계획서 [야영장운영계획(사업의경서)] – 양식없음(사업주 직접작성)

3. 신청인 기본증명서 또는 가족관계증명서 – 신청인 인적사항 기재서류

4. 임대차계약서 – 임대만 해당

5. 부동산 등기부 등본 / 법인 등기사항 증명서 – 법인등기는 법인만 해당

6. 하수처리시설 준공서류 및 오수량산정표

7. 토지사용승낙서(해당시) / 개발행위 준공검사 필증

8. 시설의 평면도 및 배치도 – 위생기준 설비표기

9. 야영장업 시설별 일람표

10. 전기안전점검확인서 – 전기시설 추가의 경우

11. 건축물(가설)대장 –화장실 등 확인

12. 대피소 사용 승낙서 – 주변회관 / 학교(해당시)

13. 상수도 설치 확인서

14. 야영장 사고 배상책임 보험증권

참고 할 수 있는 양식은 고마측량카페(https://cafe.naver.com/gomaengineer) 참고

5. 펜션의 두가지(농어촌민박 & 생활형숙박시설)
 < 상황에 맞춰 검토할 수 있는 펜션 부지분석 >

여행이 일상이 된 요즘, 호텔에서 휴가를 즐기는 호캉스뿐 아니라 자연 속 그림 같은 펜션에서 휴식을 취하고 싶은 사람이 계속 늘고 있다. 이러한 수요에 맞춰 전문적인 숙박업을 목적으로 하는 펜션 사업이나 노후에 전원생활을 하면서 소소하게 펜션 사업을 하고자 하는 사람들이 늘어나고 있다. 나에게 맞는 펜션부지를 찾는 방법에 대해 알아보자.

 펜션 사업은 크게 농어촌민박과 생활형숙박시설을 검토하는 방법이 있다. 농어촌민박이란 농어촌 지역주민의 소유 및 거주하고 있는 주택을 이용하여 소득을 늘릴 목적으로 운영하는 민박업이다. 생활형숙박시설은 흔히 알고 있는 숙박용 호텔과 주거형 오피스텔이 합쳐진 개념이지만 농어촌민박보다 더 큰 규모의 펜션을 지을 수 있기 때문에 단지형 펜션으로 숙박업을 할 수 있다. 용도지역과 규모에 따라 허가 가능한 종류가 다르므로 자세히 살펴보자.

 농어촌민박은 비도시지역에서 가능하고 생활형숙박시설은 도시지역과 계획관리지역에서 가능하다. 만약 생활형숙박시설을 원한다면 꼭 용도지역과 주변 시설에 대해 검토를 해보아야 한다. 만약 사업부지의 주변 도로가 법정도로여서 변속차로가 필요한 상황이라면 반드시 변속차로 설치에 관해 검토해야 한다. 뿐만 아니라 농어촌 민박과 생활형숙박시설은 관련 법령, 자격, 규모, 사업신고 제출서류 등이 상이하므로 다음 정리된 표를 통해 자세히 알아보자.

농어촌민박 / 생활형숙박시설			
구 분	농어촌민박	생활형숙박시설	비 고
관련법령	농어촌정비법	공중위생관리법	
자 격	농어촌 또는 준 농어촌 지역의 주민 (소재지 6개월이상 거주)	누구나 가능	
용 도	단독주택	숙박시설	
입 지	주거, 공업, 상업지역 농업진흥구역 제외한 지역 가능	도시지역, 계획관리지역	
규 모	주택 연면적 230㎡미만 (동수제한 없음)	제한없음(건폐율 적용)	농어촌민박 시 임차인 경우 3년이상 거주
소득세	인 3천만원 이하 비과세	과세	소방시설은 목적에 맞게 설치해야함
진입로	단독주택 허가 규정 동일	법정도로 시 변속차로 실시 개발면적에 따른 도로폭 규정	
사업신고 제출서류	농어촌민박사업자 신고서 건축물대장 1통 운영자 주민등록초본 1통 부동산임대차 계약서 농어촌민박사업에 대한 동의서 전기안전검사확인서	숙박업 신고서 영어시설 및 설비개요서 교육수료증(미리수료한 경우) 영업신고증 발급 전기안전검사확인서 가스완성검사필증 안내데스크 설치 증명서류	

지자체 마다 규정이 다른부분으로 조례 확인 필수

6. 묘지

< 좋은 명당 있어도 조상 모시기 어렵다!? >

예로부터 산과 물의 형세, 동서남북의 방위 등을 고려하여 풍수지리적 입지가 좋은 명당에 묘나 집을 짓게 되면 자손 대대로 정기를 받아 복을 누리게 된다는 말이 있다. 묘터를 찾는 사람에게는 풍수지리적 입지가 그만큼 중요한 요소로 작용한다.

하지만 이제는 명당자리를 찾는다고 해도 함부로 묘를 만들 수 없다. 묘지를 만들기 위해서는 규모나 종류에 따라 묘지로 허가가 가능한 지역인지, 주변 민원의 소지가 없는 곳인지, 필요에 따라 진입로 확보가 가능한지, 벌목을 할 수 있는 수목인지 등 여러 가지 사항에 대한 검토가 필요하다.

묘지의 허가조건은 크게 두 가지이다. 봉분이 있거나 봉분이 없어도 시신이나 유골을 매장하는 것을 사설묘지라 하고, 화장한 유골의 골분을 수목·화초·잔디 등의 밑이나 주변에 묻는 것을 자연장지라 한다.

사설묘지는 봉분과 묘지의 형식을 갖출 순 있지만 까다로운 허가조건으로 인해 현실적으로 불가능한 경우가 많으며 자연장지는 사설묘지와는 달리 자연 친화적이며 허가조건이 까다롭지 않은 특징이 있다.

자연장지나 사설묘지를 허가할 때 허가기준이 있으며, 일부 규정은 지자체마다 다르므로 조례에 대한 확인도 필요하다. 사설묘지와 자연장지의 차이점 등을 표를 통해 살펴보자.

묘지분류 및 허가기준			
구 분	사 설 묘 지	자 연 장 지	비 고
공통기준	개인묘지 : 30㎡이하 가족묘지 : 100㎡이하 종교단체묘지 : 40,000㎡이하 구비서류 : 평면도, 위치도, 신고인의 소유임을 증명하는 서류 또는 토지 소유자의 토지사용승낙서, 가족관계증명서 임야 묘지 조성 시 장비가 진입할 수 있는 진입로가 없다면 산지일시사용을 득 해야하며, 농지/임야 진입로가 본인수요가 아니라면 토지사용승낙서 필요(지자체 별로 상이)		불법묘지가 있을 경우 기존에 있는 분묘는 개장신고 필요
규 모	종중(문중)묘지 : 1,000㎡이하 재단법인묘지 : 100,000㎡이하	종중(문중)묘지 : 2,000㎡이하 재단법인묘지 : 50,000㎡이하	법인묘지는 규정이 다르므로 지자체 확인
분 묘 형 태	봉분, 평분 또는 평장으로 함 봉분의 높이는 지면으로부터 1m이하, 평분의 높이는 50cm이하	개별/공동으로 하되 개별 표지는 200㎠(20cm*10cm) 높이 2cm(하단부포함 8cm) 공동표지는 안치 및 예정 구 수를 고려한 크기로 정함	종중, 종교 또는 법인의 구비서류는 공통기준 외 추가서류 확인
주변 이격거리 기준	도로하천 : 200m이상 이격 공중이용시설 : 300m이상 이격 묘지 300m 내 주택 20가구미만 이격 (가족묘지기준)	주변시설에 대항 규정 없음	

지자체 마다 규정이 다른부분으로 조례 확인 필수

자주 묻는 질문

Q : 지목이 '묘지'인데 허가 없이 묘지로 쓸 수 있나요?

A : 지목이 '묘지'이면 따로 허가를 득할 필요 없습니다.
하지만 기존 묘지가 있다면 개장 신고를 하고 개장을 해야
합니다.

Q : 묘지허가를 받으려는데 산에 불법이 있으면 문제 있나요?

A : 허가없이 불법으로 나무훼손 및 구조물 설치, 토목공사를
했다면 문제가 될 수 있습니다.

형사소송법(249조 공소시효의 기간)에 해당하면 처벌 후
원상복구를 실시해야 합니다. 공소시효 기간 지났다면 처
벌 되지 않으나 원상복구는 해야 합니다.

7. 관광농원

< 농사와 사업. 두 가지 다 잡는 시설! >

만약 시골에 일정 규모의 토지가 있어 단순히 농사뿐만 아니라 여러 가지 사업을 함께 하고 싶을 때, 지금 농사를 짓고 있는 토지에 생각한 사업이 있지만, 용도지역이 맞지 않아 개발행위를 할 수 없을 때, 과연 방법이 없을까?

이런 경우 관광농원을 생각해 볼 수 있다. 관광농원이란 농어촌의 자연과 농림수산 생산기반을 이용하여 영농체험을 겸한 관광휴양에 적합한 시설을 말한다. 관광농원은 조건만 갖춘다면 용도지역의 행위 제한에서 비교적 자유롭게 토지를 사용할 수 있고, 관광농원 사업 시 대체산림조성비 혹은 농지부담금 세금이 감면되는 등 다양한 혜택이 있다.

하지만 관광농원을 하기 위해서 충족해야 하는 조건들이 있다. 사업 규모에 대한 제한, 시설배치 기준의 적합성, 편리한 교통여건, 사업운영 계획의 적정성, 농산물 판매계획의 타당성 등 관광농원 허가가 가능하기 위해서는 많은 조건이 부합해야 한다.

관광농원은 농어촌정비법에 따른 "농어촌 관광휴양사업의 규모 및 시설기준"을 확인하면 자세히 파악할 수 있다. 관광농원 사업을 위해 필요한 조건이 무엇인지, 허가기준은 무엇인지 파악하여 관광농원 사업의 첫걸음을 내딛어보자.

관광농원		
구 분	**내 용**	**비 고**
목 적	지역특산물을 이용한 자율시설(음식제공시설, 휴양시설, 판매시설 등), 영농체험시설을 갖추어 이용하게 하는 사업	10,000㎡ 이상 지구단위 심사를 받아야함.
대상자	농어업인, 농어업인단체(농업협동조합 및 산림조합, 농업법인 등)	
조 건	농지대장과 농업경영체등록 대상인 국립농산물품질관리원에 농업경영체 등록 대상 확인 가능. (농업경영체 등록은 사업지역이 아닌 주민등록상 주소지 지역 농산물 품질관리원으로 가야함.	최근 세금감면 범위가 바뀌어 지자체 문의
사업규모	사업부지는 2,000㎡이상~100,000㎡미만 개발승인 면적의 20%이상(최소2,000㎡)은 영농체험시설 확보 (영농체험시설이란 쉽게 말해 방문객이 수확하거나 체험할 수 있는 시설) － 임업용산지 30,000㎡미만 － 농업보호구역 20,000㎡미만 － 관리지역, 녹지지역 100,000㎡미만	관광농원 승인 시 야영장 시설도 가능 세부사항은 농어촌정비법 시행규칙 [별표3] 관광농원 사업시행지침 참조
혜 택	대체산림조성비(산지), 농지부담금(농지) 세금 부분 감면 농업종합자금 융자 해당(일반 금리보다 낮음) 임업용산지 승인 시 취득세 부분 감면 법인세 소득세 감면	

지자체 마다 규정이 다른부분으로 조례 확인 필수

현업 토목설계사와 공인중개사가 작정하고 만든
실패없는 토지분석

관광농원 필요서류
관광농원 승인 시 필요서류
1. 농지원부(농지대장) : 농지의 소유 및 이용실태 파악
2. 농업경영체증명서 : 현재 농업경영을 확인하기 위함.
3. 농업경영체등록확인서 : 등록여부 확인을 위한 서류
1번~3번은 동사무소에 발급가능.
4. 통장 잔고 잔액 증명서 : 재정상황 체크 / 잔고 증명문서
5. 지상권설정권자 동의서 : 담보로 지상권자가 설정 될 경우
4번~5번은 해당 은행에 발급가능.
(지상권동의서 양식은 토목설계가 제공 가능)
6. 토지사용승낙서 : 토지소유가가 아니거나 공동소유 시 승낙
토지사용승낙시 인감 1통 첨부
추가사항 : 개명 시 개명 확인자료 / 신청인이 2인 일 경우 서류는 신청인 2인 모두 필요!
관광농원 사업자신고 시 필요서류
1. 농어촌관광휴양지 운영계획서
– 작물별, 시설별 이용계획, 생산품 판매계획, 운영자금 조달계획 포함.
2. 영업시설의 평면도
3. 농어촌관광휴양지시설내용
4. 교육증명서(식품접객업을 하는 경우)

8. 휴게음식점과 일반음식점

< 음식점은 다 같은 것 아니었나!? >

음식점 창업을 위해서는 영업신고증과 사업자등록증이 필요하다. 하지만 창업할 때 많이 고민하고 궁금해하는 부분은 휴게음식점으로 해야 하는가, 일반음식점으로 해야 하는가이다. 우선, 이 둘의 정의가 무엇인지 정확하게 알고 있어야 문제가 발생하지 않으므로 비교하여 차이점을 살펴보자.

항 목	휴게음식점	일반음식점
업종기준	카페, 패스트푸드	음식물 조리 및 판매
상호명	카페, 커피 단어 사용 가능	카페, 커피 단어 사용 불가능
술판매	주류 판매 및 음주행위 금지	주류 판매 및 매장 음주가능
화기사용	가스 조리 불가능(인덕션 가능)	가스 조리 가능
건축물의 용도	바닥면적 300㎡ 미만 제1종 근린생활시설 바닥면적 300㎡ 이상 제2종 근린생활시설	바닥면적 제한없이 제2종근린생활시설
객실설치	불가(1.5m 미만 칸막이만 가능)	설치가능(잠금설치 및 노래방기계 불가)
정화조용량	비교적 수월함.	오수정화시설 및 정화조용량 기준확인
공동사항	1) 전용법규정 동일 2) 관할 시, 군, 구에 영업신고 3) 위생교육필증, 보건증 발급, 부동산계약서, 건축물대장, 영업신고서 ※ 위생교육은 한국외식업중앙회(일반음식점), 한국휴게음식업중앙회(휴게음식점)	

05 토지 활용 및 인허가 정보

〈전문가가 알려주는 내 땅 사용설명서〉

1. 경계복원측량 및 토지분할

< 내 땅에 필요한 측량을 모른다고!? 큰일나요! >

토지의 경계가 어디인지, 경계점을 정확하게 확인할 때 토지의 높낮이나 면적 따위를 재는 것을 측량이라고 한다. 보통 지적상의 경계를 복원하기 위해서 혹은 건축물의 신축이나 증축 시 이웃 대지와의 담장, 울타리 등의 경계점을 확인하기 위해서 측량을 한다.

측량에는 경계측량, 분할측량, 현황측량이 있다. 용도에 따른 측량을 신청하여 실시해야 한다. 측량신청을 할 때는 각종 필요 서류와 절차가 있는데, 경계측량 및 현황측량은 토지주가 직접 신청을 할 수 있지만, 분할측량은 분할에 필요한 도면과 진행 절차가 까다로우므로 대행하여 진행한다.

특히 매매를 위한 분할측량을 신청할 때는 지자체마다 용도지역 기준별 최소분할면적이 있으니 꼭 확인해야 한다. 즉 최소분할면적 이상을 충족해야 토지 매매를 위한 분할이 가능하다. 한편 최소분할면적 이하로 토지를 분할하기 위해서는 건축물을 짓기 위한 개발행위허가를 사전에 득해야 한다.

측량은 어디에 의뢰해야 할까? 이웃 간의 법적 분쟁 등 측량의 법적 효력을 위해서는 '한국국토정보공사'에 의뢰하는 게 좋으며, 내 토지 안에서의 행위를 위해 경계를 알고 싶다면 보통 토목설계사에 의뢰하여 실시해도 큰 문제가 없다.

한국국토정보공사에 의뢰하는 측량 비용은 한국국토정보공사 홈페이지에 지적측량 간편 수수료 계산을 통해 확인해보면 된다.

토지의 지번을 입력하고 원하는 사항을 기재하면 비용을 확인할 수 있다. 토지 경계의 정확한 파악을 위해서 측량은 꼭 필요한 업무 중 하나이니 알아두도록 하자.

토지분할(매매에 의한 분할)				
구 분		공 주 시	세 종 시	부 여 군
최소분할면적	녹지지역	200㎡이상	990㎡이상	200㎡이상
	관리지역	60㎡이상	990㎡이상 (계획관리 660㎡이상)	60㎡이상
	농림지역 자연환경보전지역	60㎡이상	1,650㎡이상	60㎡이상
	경지정리지구지역	2,000㎡이상		
분할가능횟수 (1년기준)		5필지		
1필지 → 2필지 분할 (1회 분할의 경우)		최소분할면적 동일 적용	200㎡이상 경지정리 지구지역만 최소분할면적 동일 적용	최소분할면적 동일 적용
공통사항		분할된 필지의 재분할은 허가일로부터 1년이상 경과되어야 할것 택지식 분할이나 바둑판식 분할이 아닐것 분할기준은 매번 개정되는 경우 및 지자체마다 상이하므로 확인 필수.		

측량의 종류

경계복원측량 지적공부에 등록된 땅의 경계를 지상에 복원, 표시하는 측량
- 건축물 건축(신·증·개축)확인
- 인접토지와의 경계확인 등

주로 인근 토지주와의 분쟁시 경계를 확인하려는 용도로 많이 알려져있음

분할측량 지적도 공부에 등록된 땅을 두개 이상으로 나누기 위해 실시하는 측량
- 토지일부매매(분할판매)
- 준공분할(주택건축시 지목 '대')
- 허가분할(농지,산지,개발행위 허가)

무분별한 분할을 멀리하고자 토지에 대한 분할측량은 '분할수'가 정해져 있음

현황측량 땅 위의 구조물 또는 지형 등 위치현황을 확인하기 위한 측량
- 건축물신고(준공검사)
- 현황확인(담장,벽,건물 등)
- 침범면적의 확인 등

설계를 위한 측량이기도 함.

자주 묻는 질문

Q : 토지분할 말고 토지합병도 가능한가요?

A : 합병에 맞는 조건을 갖추면 가능합니다.
합병은 지목이 같아야 합니다. 등기를 확인 시 한 필지엔 지상권 설정권자가 있고 다른 필지에는 없는 경우에는 합병 가능합니다. 하지만 지상권 설정권자가 두 필지 모두 있는 상황에서 지상권 설정권자가 서로 다르면 불가합니다.

Q : 분할 시 최소 면적이 60㎡인데 분할 된 잔여면적은 60㎡ 이하여도 상관 없나요?

A : 최소 분할 면적 기준은 분할 된 토지와 잔여 면적 모두 최소 면적 이상이어야 합니다. 잔여 면적이 60㎡ 미만이면 불가합니다.

Q : 최근 경계측량한 경계와 인터넷 위성지도의 경계가 왜 다른가요?

A : 통합관리를 위해 관할 부서의 자료를 취합하는데 있어서 오차가 생기는 경우와 과거에 종이에 기입된 자료를 현재에는 타원형의 지구에 적용시키기 위한 오차 보정값이 적용되었기 때문에 다를 수 있습니다.

2. 가설건축물 신고방법

< 모르고 설치하면 피해만 보는 컨테이너 >

가설건축물은 제한된 기간 안에 임시로 건축하여 사용하는 건축물로 흔히 농막이나 컨테이너를 생각하면 이해가 쉽다. 가설건축물은 신고 절차를 통해 사용해야 하며, 존치기간은 3년 이내이고 기간이 끝나면 연장해야 한다.

가설건축물 신고는 가설건축물 신고서와 배치도, 평면도를 구비하여 신고 해야하며, 신고자의 토지가 아닐 경우에는 토지주의 토지사용승낙서와 토지주의 인감도 추가로 필요하다. 만약 별도의 배치도와 평면도가 없다면 직접 그려 작성해도 문제가 되지 않는다.

그리고 가설건축물은 말 그대로 일정 기간 임시로 쓰기 위한 건물로 실제 건축물과는 다르다는 점을 분명히 해야 한다. 예를 들어 농지에 농막을 짓는 경우, 신고되지 않은 부수적인 구조물을 이어 붙이거나 고정을 위해 바닥에 콘크리트로 기초 공사를 하는 것, 규정으로 정해진 크기와 규격보다 농막을 더 크게 짓는 것은 불법적인 행위이다. 이럴 경우 토지 매매 시 규정에 맞게 복구해야 할 일이 생길 수 있다.

그리고 농막과 같은 개념으로 생각하여 임야에 가설건축물을 놓고 사용하려는 사람들이 많은데, 임야에는 농막처럼 가설건축물 신고만 해서 되는 것이 아니므로 꼭 유의해야 한다.

임야에 가설건축물을 설치하는 것을 산림경영관리사라고 한다. 산림경영관리사는 산지일시 사용신고를 먼저하고 수리되면, 그때 가설건축물 신고하여 설치할 수 있다. 자세한 사항은 정리된 표를 통해 알아보자.

지목	임시가설건축물	농막	산림경영관리사
지목	농지, 산지 외 (농지, 산지는 허가 후 부지 공사기간 내에 가능)	농지	산지
건축물 바닥면적	20㎡(6평이하)		약50㎡(15평이하)
신고조건	가설건축물신고만 해당		임업인 자격 필요 (지자체마다 상이) 산지일시사용신고 필요 가선건축물 신고 필요
사용기간	기간은 3년이내 (연장가능)		
추가 시설물 여부	수도, 가스, 전지, 정화조 설치 (지자체마다 상이)		수도, 가스, 전지, 정화조 설치 (지자체마다 상이) 정화조 설치 시 산지일시사용 신고 필요
필요서류	가설건축물 신고서, 배치도 1부, 평면도 1부 (타인토지일 경우 토지사용승낙서)		산지일시사용신고필증 임업경영체 임대차계약서(임대일때) 그외 농막과 동일
공통사항	등록면허세, 취득세, 신고 수수료 납부 후 교부가능 기간만료 후 기간연장을 하지 않으면 불법건축물로 갔주 건축물 설치 시 바닥기초 설치 할 수 없음. 정화조 설치 가능 지역으로 정화조 설치 시 정화조 신고 필요		

현업 토목설계사와 공인중개사가 작정하고 만든
실패없는 토지분석

3. 인허가절차와 허가 관련 세금 알기
< 공사비와 공사 기간만 생각하면, 낭패! >

토지에 건축하기 위해서 어떤 절차가 필요할까? 단순히 건축 도면이 있으면 바로 공사를 시작할 수 있을 것 같지만 현실은 다르다. 건축하기 위해서는 토목 및 건축허가 신청을 하고, 허가를 받은 후에 공사를 시작할 수 있다. 최종 허가를 받기까지는 부지 여건, 지역 특성, 민원 등 각종 변수에 따라 생각보다 많은 시간이 소요될 수 있다. 만약 목표하고 있는 준공 시점이 있다면 공사 기간뿐만 아니라 허가 절차와 허가에 필요한 시간까지 생각하여 일정을 계획해 보자.

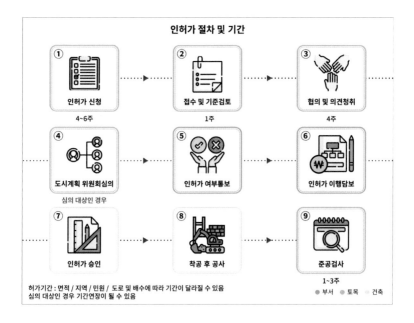

또한, 인허가에 필요한 세금에 대해서도 생각해 볼 필요가 있다. 세금은 인허가절차에 따라 납부해야 할 세금도 있으나, 인허가가 끝나고 나서 내야 할 세금도 생각보다 많다. 실제 건축에 필요한 공사비뿐만 아니라 세금까지 생각하여 자금 계획을 세우는 것이 좋다.

인허가절차에 따른 세금			
구 분	내 용	계 산 방 법	비 고
농지보전부담금	농지 본래의 목적 외로 사용하기위해 농지전용관련 허가를 특 하는경우 납부	공시지가*면적*30% 계산 (공시지가*30% 값이 5만원이상이면 : 5만원)	허가 전 납부
대체산림조성비 (산지해당)	산지전용 허가 및 산지일시 사용허가를 특하는경우 납부	[7,260원(준보전산지) + (공시지가)*0.01] * 면적(㎡)	
면허세	건축 / 개발 / 농지 / 산지 / 점용 등 허가 시 납부	대규모 개발이 아니면 10만원이하	
지역개발채권	개발행위허가 토지형질변경에 한해금액이 산정되어 납부	면적(㎡)*1,500원(농지,산지) *당일채권금리(%) 면적(㎡)*3,000원(산지 동지역) *당일채권금리(%)	허가 후 납부
국민주택채권	주택도시기금의 부담으로 발행하는 채권으로 납부	주거전용면적비율 금액 * 면적 (건축면적)	
이행보증금	개발행위허가를 받는경우 납부	총금액 중 보증보험 수수료 1%	
복구비(산지)	산지관련허가허가를 받는경우 납부	총금액 중 보증보험 수수료 1%	
경계측량 / 분할측량	부지 경계 및 분할을 위한 측량	지적측량바로처리센터 홈페이지 확인가능	
건축물 취득세	재산의 취득행위에 부과하는 세금	건축공사비의 2%	
건축물 등록세	재산권 같은 권리를 등록하는경우 부과되는 세금	건축공사비의 0.8%	
교육세	취득세, 재산세, 등록에 대한 등록면허세 등에 징수하는 부과세	건축물 등록세의 0.8%	준공 후 납부
농어촌특별세	농어촌지역개발사업을 위해 필요한 재원 충당 목적의 세금	건축물 등록세의 20%	
지목변경비	사용 목적에 따라 지목을 변경하는 행위	개발공시지가 인상차액의 2.2%	

현업 토목설계사와 공인중개사가 작정하고 만든
실패없는 토지분석

Ⓠ : 허가 후 건축물을 나중에 지을 계획입니다. 건축물을 언제
까지 지어 준공을 해야하나요?

Ⓐ : 건축 시공을 하기 위해서는 착공계를 신청 후 시공을 해야
합니다. 착공계는 신고 또는 허가일로부터 1회 1년 연장해
총 2년 안에 착공계를 제출해야 합니다. 불가능 할 시에는
취하가 됩니다. 착공계를 신청했다면 건축은 따로 기간이
정해지지 않지만 토목관련 허가(개발, 농지, 산지 등)의 총
기간은 4년이므로 4년안에 공사가 완료되어 준공을 해야
문제가 없습니다.

산지전용 결정기간 기준(산지관리법 시행규칙 별표2)과 산
지 관리법 시행령 연장기준에 따라 달리 적용될 수 있습니
다.

Ⓠ : 착공 후 개인적 사정으로 허가 취소를 하게 되면, 그 동안
공사한 부분은 원상복구 해야 하나요?

Ⓐ : 원칙은 원상복구 해야합니다. 지자체별로 훼손정도가 과하지
않았다 판단이 되면 완화하여 원상복구를 할 수 있으니
지자체 확인이 필요합니다.

4. 인허가 정보 팁
< 비용과 절차를 줄일 수 있다면? >

인허가 비용은 크게 토목설계 비용과 건축설계 비용이 소요된다. 개발행위를 위한 인허가 시 면적이나 높이에 따라 일정 금액 이상과 이하, 미만과 초과 등의 기준이 있고, 이에 따라 1㎡ 혹은 1m의 간소한 차이로도 소요되는 비용의 차이는 크게 발생할 수 있다. 또한, 개발행위를 위한 부지가 임야인지, 문화재 관련 지역인지 등에 따라 외주업체의 조사결과를 추가로 제출해야 하는 경우도 있으므로 허가조건이 어느 범위에 속하는지 정확히 파악해 보아야 한다. 만약 1㎡를 더 개발하기 위해 수천만원의 비용이 필요하다면 어떻게 해야 할까?

특히 소규모 개발행위에서 허가조건이 완화되는 경우가 많은데 일반인은 알기 어렵고, 비용 절감을 하는 방법까지 신경 써 상담해 주는 실무자를 만나는 일 또한 쉬운 일이 아니다. 허가조건이 완화되는 기준과 개발하고자 하는 범위가 비슷하다면, 완화되는 기준에 맞춰 개발행위의 범위를 검토해 보는 것도 비용을 절감하는 방법이 될 수 있다.

비용 절감을 위해서 면적을 무조건 줄여서 허가받아야 한다는 말은 아니다. 원하는 사업부지 면적을 1㎡를 줄여 큰 비용이 소요되는 상황을 사전에 검토해 보는 것이 더 효율적이지 않을까.

비용 절감을 할 수 있는 여러 가지 요령을 살펴보고, 기억해두길 바란다. 끝으로 인허가 기준에 따른 비용 절감 사항 표는 통계적으로 작성하였으며 다소 차이가 있을 수 있는 점을 염두에 두자.

현업 토목설계사와 공인중개사가 작정하고 만든
실패없는 토지분석

인허가 기준에 따른 추가절차사항

구 분	내 용	비 고
사전재해영향성검토	대상면적(㎡) 5,000㎡ 이상	산지해당
소규모환경영향평가	대상면적(㎡) 도시지역(녹지지역): 10,000㎡ 이상 계획관리지역: 10,000㎡ 이상 생산관리지역: 7,500㎡ 이상 보전관리지역: 5,000㎡ 이상 농림지역: 7,500㎡ 이상 자연환경보전지역: 5,000㎡ 이상	산지 농지
재해위험성검토의견서	660㎡이하 개발 시 해당사항없음.	산지해당
산림조사서	660㎡이하 개발 시 해당사항없음.	산지해당
산지복구설계	10,000㎡ 이하 산지복구설계 10,000㎡ 이상 산지복구설계, 산지복구감리	산지해당
구조검토서 (구조물옹벽)	콘크리트옹벽 / 보강토옹벽 : 5.0m 이상 자연석쌓기 : 3.0m이상 지리적위험성이 있는 대상지에는 담당자 판단으로 기준 이하의 구조검토서를 요구할 수 있음	옹벽설계 시 해당
재선충방제계획서	소나무 재선충관련지역	산지해당
문화재지표조사	문화재 지표조사관련 지역	문화재검토구역해당
경계 측량 및 분할측량	경계의뢰 및 허가 후 사업부지경계 분할	경계의뢰 시 해당

구 분	기준	비고
사전재해영향성검토	면적 5,000㎡ 이상 시 검토	약 2000만원 이상
비산먼지신고	1,000㎡ 이상 시 신고	신고 없이 공사 중 민원 발생 → 원상복구 및 과태료(금전적 손해)
개발부담금	도시지역 990㎡ 비도시지역 약1,650㎡ 이상 시 부과 ※지자체마다 상이함	공사비 및 공시지가 상승률을 통해 계산
재해위험성검토의견서 [산지(임야)]	660㎡ 이상 시 검토	약 100만원 이상
산림조사서 [산지(임야)]	660㎡ 이상 시 검토	약 50만원이상
경사도분석 [산지(임야)]	660㎡ 이상 시 분석	평균경사도 25도 이상 시 개발 불가
건축 신고 및 허가	건축면적 85㎡이상 시 허가 (85㎡이하 : 신고)	허가와 신고설계비의 차이는 약400만원이상
진입로 개설	진입로 개설 50m 이상 심의견 대상	심의 대상인 경우 : 불허가능성 있음 심의비용 약50만원이상
구조물계산 (옹벽)	옹벽 높이 기준 이상 시 검토 ※지자체마다 상이함	"구조물계산서 약150만원이상"

토지분석

첫걸음의 끝

부　록

　　현업 토목설계사와 공인중개사가 작정하고 만든
실패없는 토지분석은『국토의 계획 및 이용에 관한 법률』,
『건축법』,『도로법』,『관광진흥법』,『농어촌정비법』,『농지법』,
『산지관리법』,『하천법』,『소하천정비법』,『주택법』,『장사 등에
관한 법률』,『고도 보존 및 육성에 관한 특별법』,『문화재
보호법』,『하수도법』,『공간정보의 구축 및 관리 등에 관한법』
『환경영향평가법』『자연재해대책법』『개발제한구역의 지정 및
관리에 관한 특별 조치법』『국유재산법』등에 따라
작성하였으며, 공주시 조례를 기반으로 반영한 내용도
있습니다. 이 책은 참고용으로 집필하였으며, 모든 지역에
해당하는 사항이 아니니
지자체에 문의하시기 바랍니다.

출　처

　　이 책의 그림은 미리캔버스로 작성하였습니다.
홈페이지 원문을 확인하실 수 있습니다.
토지이음, 국가정보공간포털
자치법규정보시스템, 산림임업통계플랫폼
국토환경성평가지도